ソシオ情報シリーズ22

AI・データサイエンス・DX と 社会情報学

目白大学社会学部社会情報学科 [編]

三弥井書店

はじめに

　ソシオ情報シリーズは今号で第22巻の発刊を迎える。創刊当時より多様な専門領域の先生方がさまざまな視点から執筆をしてきた。当初は他大学とは異なる本学独自の社会情報学について、「情報を切り口に社会科学全体をとらえ直す」という社会情報学科初代学科長の林俊郎先生のお考えの下、これからの学科の教育の在り方を共通認識することも含め、論述した。さらに、そこから発展して、第13巻以降は社会デザインを念頭に論を進めてきた。社会情報学において情報の真偽を見極めながら社会的課題の解決を図ることは、すなわちより良い社会をデザインすることにつながるとの考えからである。

　このようにソシオ情報シリーズは変遷してきたが、今回の特集テーマは「AI・データサイエンス・DXと社会情報学」とした。これは2021年度から本学科の新カリキュラムにAI・データサイエンス教育が取り入れられたためである。AI・データサイエンスの技術的な動向をはじめ、社会情報学との関係や教育内容とのかかわり、また本学科の新カリキュラム、特に4系列におけるAI・データサイエンスの活用やその課題などについて各先生方がその専門の立場から執筆することとした。

　現在、小学校では2020年度からプログラミングの授業が導入され、中学でも2021年度から技術・家庭科でプログラミングを含む情報の教育が行われている。また、高校では今年度の1年生から新しい学習指導要領となり、教科「情報」が再編され、必修の「情報Ⅰ」と選択科目の「情報Ⅱ」が新設された。基本的な情報技術を扱う「情報Ⅰ」は2025年入試から大学入学共通テストでも取り入れられることとなった。

　こうした初等・中等教育の段階で、ある程度情報を学んできた学生を受け入れることになる大学では今、さまざまなデータを分析し、社会的課題の解決や社会に役立つ価値を創出する学部の設置が相次いでいる。国も昨年度から、大学や高等専門学校を対象に「数理・データサイエンス・AI教育プログラム認定制度」を始めた。「リテラシーレベル」と「応用基礎レベル」が

あるが、2025年には大学と高専の全卒業生約50万人にリテラシーレベルの能力を身につけさせたいとしている。

　以上のように、国からの要請もあり、各大学がさまざまな取り組みを行なっている中、本学科のAI・データサイエンス教育をいかに構築していくかが問われている。

　本書を通して、先生方のAI・データサイエンス教育に対する思いや情熱が少しでも伝わり、今後の社会情報学科の方向性を理解していただければ幸いである。

　2023年2月

目白大学 社会学部 社会情報学科 前学科長

大枝　近子

目　次

特集：AI・データサイエンス・DX と社会情報学

特集「AI・データサイエンス・DXと社会情報学」にあたって

　本特集では、AI（Artificial Intelligence）・データサイエンスの社会的な導入と活用について、社会情報学の観点から取り上げた論考を集めている。

　デジタル化、コンピュータ化、ネットワーク化の潮流は、今世紀に入り、コンピュータのさらなる高速化やインターネットの社会的浸透とプラットフォーム化、スマートフォンなど多様な IT 機器や情報システムの開発、IoT、AI といったデジタル技術の進化につながっている。こうしたデジタル技術の活用により、組織や業務のしくみ・プロセスを変革し、社会的課題の解決や新たな価値の創造をめざすものが DX（Digital Transformation）である。

　特集の前半では、AI と DX に焦点が当てられ、1 章では AI の概要、特に技術的特徴や課題を中心に解説される。それをふまえ、2 〜 4 章では、AI の社会実装、つまり社会の各領域における AI の導入・活用と、行政・企業など組織活動の DX 化がテーマとなっており、対人関係、デザイン表現、ビジネスとその国際化、行政・まちづくり、消費者相談が取り上げられている。AI・デジタル技術の社会実践の議論には、技術に関する知識とともに、導入される社会領域に関する専門的な知見が必須である。各章では、執筆者の深い専門知識をもとに、各領域における AI・DX 化が論じられている。

　インターネットやデジタル機器の活用はまた、膨大な量のデジタルデータを生んできた。こうしたビッグデータを分析することで有益な知見を得ようとする取り組みにおいても、デジタル・AI 技術が活用されている。統計的な手法やモデルをベースに、機械学習・深層学習など AI 技術を組み合わせ、高性能コンピュータを活用してビッグデータを分析するデータサイエンスは、大学での研究や教育においても注目されている。特集の後半では、こうした領域における AI・データサイエンスの導入・活用として、メディアの内容分析（5 章）や教育の実践例（6 章）を取り上げている。

　本特集では、あらゆる社会領域を網羅してはいないものの、社会の幅広い領域における AI・データサイエンスの導入・活用について取り扱っている。技術的な進展が顕著で変化も激しいこの分野の「現在」を知り、その「本質」について知見と思索を深める一助となれば幸いである。

第1章　AI を眺める

新井　正一

1　はじめに

　近年、AI の実用化が進み日常の生活の中に『AI による……』とか『AI を搭載した……』などの文言が飛び交うようになってきた。AI は数年前まで一部の業界や研究分野に限られていたが、今、急速に広がっている。

　身近な一つの例としてエアコンがある。某メーカーのエアコンには、デジタルカメラが組み込まれ AI が人を識別、その人の在室時間から体感温度変化を予測し、その人にあった快適な送風を可能にしていると謳っている。また、別のメーカーでは学習機能を持った AI が過去の運転履歴を基にユーザーの好みに見合った運転を実現するなど、従来、人手で調整していたことの多くが自動化されている。エアコンに限らず冷蔵庫、洗濯機などの家電にAI が組み込まれ、人それぞれに対応した支援を実現できることは望ましいところであるが、すべてを手放しで受け入れることに問題はないのであろうか。

　AI には生活を快適にするだけで済まない多くの問題が潜んでいる。よく例に挙げられるのは車の自動運転である。AI が誤った判断をした時、その誤りに気付き人が修正できれば良いのだが、修正が間に合わないケースがあるであろう。その結果、最悪の場合重大事故につながる可能性を秘めている。現在、車に乗るときにはシートベルトの装着が義務化され、偶発的な事故から人を守ろうとしている。AI についても同様なことが言える。AI は人と異なってコンピュータのやることだから間違いはないのだろうか？ エアコンに組み込まれた AI がミスを犯して、部屋の温度が異常に高くなるのと違って、自動運転時に起こるミスは人に甚大な被害を与える。

　もう一つの例として人と会話する AI を挙げよう。自動運転と比べればリスクは少ないようにも思えるが、決してそうとは言い切れない。Microsoft

が2016年に発表した『Tay』および Google が2021年に発表した『LaMDA』は、人と自然に会話ができることを目指した AI である。学習機能を持った Tay は一般の人が自由に会話できるように公開されたため、悪意を持った会話を学習させられてしまった。その結果、人種差別的な発言をするようになり、公開されて 1 日も経ずに停止された。最近発表された LaMDA は抽象的な議論が可能で、AI 自身が意識を持ち始めていると考える研究者や技術者も出てきている。人の思考過程を研究する道具としての活用は有意義なものであるが、単に会話を楽しむレベルを超え、人への心理的な影響は良くも悪くも測り知れないものがある。

　今後、研究開発は進み、2045年 AI が人の知能を超える（シンギュラリティー）であろうとの未来予測もなされている。AI の人への影響や社会的な責任問題の視点からの研究の重要性は一段と高まり、遺伝子操作技術をきっかけに議論の始まった ELSI（Ethical, Legal and Social Issues, 倫理的・法的・社会的課題）を考えることも欠かせない。最先端の AI の可能性や ELSI をテーマにすることは興味深いことであるが、ここでは身近で手の届く AI を対象に一般ユーザーの立場から、その姿を眺めてみたい。

2　AI と機械学習

　人と自然に会話ができる AI は、安心して運転を任せられる AI と同様、まだ開発段階にあって実用化できるまでには時間を要するであろう。一方、処理対象を特化した AI は、これまでに研究開発された機械学習の技術を活用し実用化が進んでいる。機械学習の機械という言葉は『知能を持ち柔軟に対応する』というより、『決められたことを機械的にこなす』の意味を強く感じるのであるが。しかし、この10年間の技術の進歩によって、コンピュータの処理速度や記憶量が増加、さらに、ネットワークを介して高速に情報交換ができるようになったことで、あらかじめ決めなければならないことが少なくなり、単純な機械的労働から脱した活用が可能になりつつある。

　ここで、話を先に進める前に AI と機械学習の関係を明確にしておきたい。AI（artificial intelligence）とは、SF 小説や映画に登場する人工的に作られた頭脳である人工知能を意味する。一方、機械学習はコンピュータに学習能力

を組み込み、与えられた情報をアルゴリズムに沿って吸収し必要に応じて出力することのできる技術を指す。人工知能＝機械学習とも解釈できるが、機械学習は人工知能の一部、すなわち、人工知能＝AI＞機械学習と考える方が妥当であるが、ここでは人工知能＝AI＝機械学習として進めることにする。

　機械学習の研究は1960年代からはじまり、コンピュータの性能の向上と新たなアルゴリズムの開発とを繰り返し、今、第3次AIブームと呼ばれている。2015年10月、AlphaGo（アルファ碁）と呼ばれる囲碁に特化したAIが、はじめてプロ棋士に勝利しブームに火をつけた。その後、2017年5月にはAIが世界トップ棋士に3戦全勝、人とAIの競い合いは終わりを告げた。同様なことが将棋の世界でも起こり、AIが棋士を如何に打ち負かすか、人が如何にAIを活用するかに移っている。

　将棋界で有名な藤井聡太氏は日々の練習でAIと対戦し力を養っているとのことで、その指し手はAIと似ていると言われている。まさに、AIと対抗するというより巧みに活用している一つの例である。短歌を生成するAIを体験した歌人の俵万智氏も『AIは私たちが歌をどう学んだらよいのか、ヒントを与えてくれていると思いました。』と、単なる機械に過ぎないと考えられていたAIが、人が思い付かないような発想を与えてくれる道具に成長している。

　一方、国立情報学研究所が2011年に開始した「ロボットは東大に入れるか」プロジェクトは、AI活用の新たな可能性に対して限界を示した例である。このプロジェクトは、AIの性能評価と将来AIと人とのあるべき関係を模索することを目的に研究者が集まり始まった。その目標は、大学入試問題を指標に2016年までにセンター試験で東大合格レベルを、2021年春までに東大の入試に合格するレベルのAIの構築を目指した。しかし、2016年6月のセンター試験形式の進研模試での偏差値が、国語49.7点、数学IA 57.8点など5教科8科目型の総計で57.1点を達成できたところで終了された。その理由の一つは、現在の技術を駆使してもAIが問題の意味を理解することに限界があることであった。AIの基本的な処理手法は、人手では不可能な多量の情報から統計的に優位なものを高速に探し出すことに基づいている。たとえ

ば、数学の試験で方程式を解くとき、苦し紛れにやることはあっても変数に適当な数値を代入して数式を満足するような値を見出す方法はとらない。コンピュータは短時間に多量な処理ができるのでこの方法が使える。まさに力尽くで問題を解いている。国語についても問題文を単語に分解、単語と単語の繋がりを調べて、さらに、それらの情報を基にAIが記憶している膨大な文章から統計的に近いものを抽出、答えを選択するような方法がとられている。つまり、文章の意味を理解するのではなく、類似問題を探してその答えを参考に答える方式である。大局的に文章の意味を捉える必要のある国語の点数が数学に対して低いのはこのことに起因し、現在のAIの技術では限界があることを示す結果となった。しかし、この研究はもう一つ別の観点から大きな成果を出している。意味を理解し的確な判断を下すべき受験生が、意味を理解しているとは思えないAIに負けていることである。AIの偏差値が57点ということは、受験生全体の上位24%に入るということを意味している。試験問題が悪いのか、受験生本来の力がないのか、あるいは両方なのか、いずれにしてもこれからAIとの関係を築く上で、人の教育をどう改め進めるか、極めて大きな課題を提起しているのではないであろうか。

3 AIを知る①

　ここまで取り上げたAIの例は研究目的に構築されたもので、現在ビジネスシーンなどで実用化されている多くは、処理対象を明確に絞ると共に、実用に耐え得る程度の検証を済ませたものが使われているであろう。AIを現場で使うまでには、頭脳を構成するニューラルネットワークの設計、教えるための学習用データの準備と学習、学習を完了したAIの評価と再学習の手順を踏む。

　AIの内側を覗くために、サンプルとして開発者向けに提供されている画像分類AIモデル『VGG16』を例に、可能な限り専門用語を使わずに説明する。このAIはディープラーニングと呼ばれる機械学習の中の一つの技術を使ってニューラルネットワークが構成され、縦横サイズが224ピクセル（スマホカメラでの撮影画像の1/10程度）の正方形画像を1000クラスに分類する学習済みのモデルである。学習には100万枚を超える画像が使われ、学習結果

を格納する役割を持つパラメータと呼ばれる数は1億4千万個に及ぶ。膨大な数のように思えるが、学習した画像をそのまま記憶し分類要求に対して酷似した画像を検索提示する方法と比べれば、記憶サイズや分類速度ははるかにコンパクトで持ち運びも可能である。また、ユーザー独自の画像分類クラスを追加する際には、このモデルをベースに転移学習と呼ばれる機能を使うことで、学習のための画像枚数を抑えることができ目的に応じた転用が可能になっている。

　画像分類、文章分類、時系列予測など現在の機械学習では、どんなデータを与えて学習させたのかがきわめて重要で、学習データによって出力結果も左右される。単純な画像分類程度の利用であれば、もし、AIがミスを犯しても直ちに気付くことができる。しかし、使われ方によっては深刻な問題を引き起こす可能性を有している。たとえば、就職採用試験での導入を考えてみよう。採用決定までのプロセスすべてを AI に任せる会社はまだないものと思うが、書類審査、論述テストなどの採点への活用、さらには、一次面接に導入するケースも出てきている。導入される AI の評価はどのようになされているのであろうか。AI から出力された結果は、画像分類のように誰でもがチェックするのは難しい。採用する会社に見合った人物を想定し、学習させるプロセスに関わった開発者でなければ正当な評価は困難であろう。採用担当としての AI ユーザーは、結果に疑問を抱きつつ AI の判断に従ってしまうのではないだろうか。今や学習済みの AI を簡単にコピーできる時代である。学習作業の外注や学習済みの既存の AI を導入するとなると、すべてを AI に委ねることによる危険性が高まる。

　人が AI を的確に活用する上で重要なことの一つは、AI 自らが判断理由を説明できることではないだろうか。俵万智氏や藤井聡太氏は AI の説明がなくても、プロとしての鋭い感覚で提示された結果の理由を読み取り、上手く活用することができている。しかし、一般ユーザーの多くは、AI の出した結論に違和感を覚えながらも、AI が言っていることだからで済ませてしまう。疑問を感じた AI がどんなプロセスを経て学習したのかの問いかけに対して、満足な答えをもらえるとは思えない。ビジネスのみならず公共サービスの世界でも導入が進んでいる。公共サービスの仲介者が AI の判断をそ

のまま受け入れ、理由もなく『AI の判断だから』とのひと言で済ませる事が当たり前になってしまうと、極めて危険な社会に変貌してしまうのではと危惧される。

　現在、XAI と呼ばれる説明可能な AI は研究段階にあり、広く活用されるまでには時間を要する。AI による説明が得られなくてもその特性を見抜くことのできる力を養いつつ、活用することを期待したい。

4　AI を知る②

　AI を学ぶ目的は人それぞれ異なる。AI の大まかな姿を知り教養を高めようと思っている人から、研究開発やビジネスに使うことを考えている人まで幅広い。2012 年ごろ第 3 次のブームが始まり、現在のように AI が身近になったのは最近のことである。2019 年、政府は『AI 戦略 2019』の中で教育改革として、小学校から大学、さらには社会人教育に至るまで、理系文系にかかわらず AI およびデータサイエンスなどの関連分野の教育の導入を提唱したばかりで、多くの人は AI に触れながらも理解は進んでいないのが現状であろう。

　AI のことを少しでも知りたいと『AI 学習』などのキーワードでネット検索をおこなうと、入門と銘打ったサイトから本格的な学習コースを提供するサイトまでヒットする。しかし、ほとんどのサイトはエンジニアやデータサイエンティストの育成を目指し、教養を養うとか AI ユーザーとして覗く程度のサイトを見つけるのは難しい。確かに、AI のプロと呼ばれる知識と技術を養うことができれば、ユーザーとして的確に使いこなすことができ、教養としての知識も充分持つことになる。しかし、AI 技術者のプロとして自立するためのプロセスは、一般の人にとっては極めてハードルが高くだれでもできる事ではない。数学的な知識からプログラミングに至るまで、学ぶべきことは多岐にわたり多くの時間を要する。

　では、ユーザーとして教養程度の力を養うには何をどこまで、どのように学べば良いのだろうか。『教養程度』とはどこまでのことなのか明確に答えることは難しいが、単に書籍を読みあさり知識を獲得するだけで完結できることではないように思う。

（1）物理法則と AI

　物理学はある自然現象から因果関係を見出し、その関係を普遍的に説明する。因果関係とは、何が原因でどんなことが起ったかを述べることのできる関係のことである。ニュートンは木からリンゴが落下したのを見て万有引力を思い付いたという。この現象には、万有引力が原因でその結果としてリンゴの落下という因果関係が存在する。ニュートンは1687年プリンキピアの中でこの因果関係を結ぶ運動の法則を提唱、落下したリンゴが地面に衝突するまでの時間や衝突する速さを予測することができるようになった。さらに、実際の値と予測値の間に差があるとき、法則はその原因を探るヒントを与えてくれる。運動の法則はリンゴの落下運動のみならず天体運動も説明することが可能で、身近なスケールから巨大なスケールに至るまで法則の普遍性をみてとれる。運動の法則に基づいて天体運動の説明に至るまでには、多くの観測の積み重ねがあった。ティコ・ブラーエ（1546年～1601年）は天体観測に力を注ぎ様々なデータを蓄積、さらに、その弟子となったケプラー（1571年～1630年）は、蓄積された多くのデータから天体の運動を説明するケプラーの法則を見出している。ニュートンの運動の法則はデータの蓄積によって見出されたケプラーの法則をみごとに説明している。今では原子、分子などの極微の世界とブラックホールなどの宇宙の創生に関わる世界での現象を除いて、自然現象を説明する普遍的な法則として天気予報、地震、津波などの予測に広く活用されている。

　因果関係を見出しそこに潜む普遍的な法則を探求する物理学の世界と比べて、AI はどうであろうか？　現在広く実用化されている AI は、集積された半導体回路と人が生み出したアルゴリズムからできている。アルゴリズムの原点は人の脳を真似たニューラルネットワークである。研究的な視点から見ると、まさに AI は人の脳をシミュレートできる都合の良い道具である。と言っても、AI は人の脳の一部の動きを原理的に真似たに過ぎず比較できるレベルにはないが。

　さて、ここで近年大きな問題となっている集中豪雨による局地的な降雨予測を例に、物理法則を使う場合と AI を使う場合を比較し、その違いを理解することで AI の特性を知る手掛かりとしてもらいたい。

（2）AIによる予測

　物理法則に従った予測には、高速に計算処理が可能なスーパーコンピュータが使われる。計算にあたっては、対象となる領域を定め縦横高さ方向に格子を作る。計算は格子点上について実行され、格子点が多くなるほど精度は高くなるが計算に時間がかかる。1時間後の予測をするのに、計算に1時間以上要するのでは使えない。逆に、格子点数を少なくするために格子間隔を広げると計算精度が悪化し正しく予測できない。このため、はじめに縦横高さ方向に広く格子を設定し計算、次に降雨予測したい地点を中心に可能な限り狭い格子を作成、改めて予測する地点近傍についてのみ計算する方法が取られている。

　予測でのAIの利用は、物理法則に基づく計算と比べて短時間でできること、および地形が複雑な地域では格子間隔をどんなに狭くしても充分な精度が得られないことなどによる。AIを利用するにあたっては、予め頭脳にあたるニューラルネットワークの作成および入力と出力データを用意しての学習が必要となる。学習用の入力データは、はじめに広い格子間隔で計算された結果から得られる気象パターンを、出力データには対象地点で過去に測定されたデータから気象パターンに対応したものを与え学習させる。当然、どんなに多量に学習させても予測に際して全く一致するケースはなく、入力されたデータに近いものが統計的に選択され出力されることになる。何を近い値とするかは何をどれだけ学習したのかによって大きく左右される。また、どんな構造のネットワークが使われ学習したのかによっても蓄積される内容が異なり、普遍的な物理法則に従って計算される場合と異なる。さらに、予測値に大きなずれが発生したとき、物理法則に基づいた予測であればその原因の究明が可能であるのに対して、AIによる予測では自身の下した判断の確からしさが示されるが、多くの場合なぜそう判断したのかを説明することは難しい。入力と出力の間に因果関係があるにしても、その結果に到達する過程はユーザーが想像するだけで物理学のアプローチとは大きく異なる。物理学のような法則に相当する普遍性が保証されているわけではない。AIの未熟さなのであろうか。

　入力と出力との因果関係を普遍的な法則で説明できず、統計的に処理され

た結果を受け入れるには、AI 自身によって人を充分納得させる説明が欠か
せない。しかし、AI による説明が充分でない現状では、何を人がその結果
を受け入れる判断基準にしたら良いのだろうか？ 物理学の歴史を振り返る
と、普遍的な物理法則が発見されるまでには長年に渡っての観測データの蓄
積がなされている。AI の世界に天体運動と同等の普遍的な法則が存在する
かどうかは明らかではないが、今、一般ユーザーとしては単に出力を受け入
れるだけでなく、見え難い AI の姿を少しでも探る努力が必要な時ではない
であろうか。

　最後に、AI に実際に触れることで少しでもその姿を見つめ、特性を探る
ことのできる環境を紹介する。

5　AIとの触れ合い環境

　クラウド環境が普及している現在、多くの AI 構築ツールが提供され、自
前で高性能なコンピュータを用意することなくブラウザー操作によって設
計、学習および活用の一連の作業が可能になっている。また、開発＝プログ
ラミングと思われがちであるが、『ノンプログラミング』と言われプログラ
ム言語を使ったコードを書くことなく利用できるツールも見られる。と言っ
ても、一般のユーザーが手軽に触れることのできる環境は少ない。ここでは、
現在著者が活用している Google、Microsoft および Sony から提供されてい
るツールを紹介する。技術革新の早い昨今、これらのツールがいつまで有効
なのか全く保証できないが。

　ツールを大別すると（A）学習済みの AI に入力データを与え出力された
結果を利用、(B) AI に学習用データを与え育てて利用、(C) AI の頭脳となっ
ているニューラルネットワークの構築、学習を経て利用の３つがある。

　(A) については、Google がブラウザーからアクセスするだけで、利用登
録などの個人情報を提供することなく無償で使える AI を提供している。現
時点では、Vision API と呼ばれる画像認識 AI、音声をテキストに変換する
音声認識の Speech-to-text、テキストを音声に変換する音声合成の Text-to-
speech、文章から感情を分析する Natural Language API がある。参考文献
に記載された URL のページの中ほどに入力欄があるので試すことができ

る。様々なデータを与えて漠然とその反応を眺めるのも一つの方法だが、あえて AI が間違えそうなデータを与えてその反応をみるのも AI に触れる一つの方法である。あるいは、Text-to-speech で音声合成したファイルを Speech-to-text でテキストに戻し、元のテキストに戻るのかなどを試すのもあるだろう。さらに、複数の AI を組み合わせることでどんなことができるのか、アイデアを巡らすのも AI と触れ合い理解する上で得るものが大きい。

　著者は独自に Web サーバを用意することで、AI を自動的に連携させた処理を行なっている。プログラミングが必要になるが、AI を活用した Web アプリケーションの構築が可能である。たとえば、野外でスマホから撮影した画像を Web サーバに送信、データを受け取ったサーバが Google の画像識別 AI にアクセスしその結果を受け取り、位置情報、時刻などと共にデータベースに保存する。保存された画像は容易に種別単位での抽出が可能となるなど、様々なアイデアを形にする事ができる。

　（B）に関しては、Google は Vertex AI と呼ばれるブラウザーからの操作のみで AI を構築できるツールを提供している。画像分析、動画分析、自然言語処理、翻訳、構造化データの分析などが用意され、ユーザーが用意したデータを基に学習させることが可能である。しかし、学習には多くのデータが必要になること、単に使う場合と異なり学習にかかる費用がかさむことなど、試しに使うにはハードルが高く不向きのようである。

　Microsoft は、自身の PC にインストールして使う画像分類 AI である Lobe を無償で提供している。分類は最大5種類に限定されるが、試し程度に使ってみるのであればプログラミングも必要なく直感的な画面操作だけでわかりやすく最適なツールであろう。このツールには、転移学習と呼ばれる技術が使われていて、通常、学習に必要なデータは数万件が一般的であるが、100件程度のデータでも精度良く分類できる。また、有償であるが AI Builder を利用するとより高度な AI モデルの構築が可能となる。

　（C）のツールは柔軟性に富みニューラルネットワークで構成される AI のベースになる構造までを自由に作成できるもので、ユーザーそれぞれの課題に対して最適なものを探すことができる。その分、ニューラルネットワークやディープラーニングなどの予備知識が要求され、単なる AI ユーザーを超

えたレベルに位置する。と言っても、開発ツールにはプログラミングを必要とするものだけでなく、ノンプログラミング環境を提供するものもある。

　プログラミングを必要とする環境は、python 言語を前提としたさまざまな機械学習ライブラリーが無償で提供されているので、必要に応じて選択し活用することになる。ただし、使用するライブラリーが多数あり、どれを選択するか、組み合わせはどうするか、バージョンアップにどう対応するかなど煩雑になっているため、python 言語への慣れと共にプログラムの開発環境に習熟していないと苦労することが多く、AI を学ぶ観点からは不向きのようである。反面、世界中の開発者から様々なライブラリーが提供され日々更新されるので、AI 開発者として利用できれば最適な環境となる。説明できる XAI に関するライブラリーも提供され、新たな AI の開発に取り組むことも可能である。

　一方、プログラミングを使わずに AI を構築するツールとして、Sony は Neural Network Console と呼ばれる開発環境を提供している。Microsoft の提供する Lobe と同様、無償で自身の PC にインストールして使うことができる。また、Lobe と異なり画像分類だけでなく、文章分類、時系列予測などが可能であり、AI の設計、学習、検証の一連のプロセスを提供している。高速に学習させるには、有料となるクラウド環境を使うこともできる。

　「AI を眺める」と題して一般の AI ユーザーが頭に置いて欲しいことを述べたが、眺めるだけでなく是非手を動かして AI に触れて欲しい。できれば育ててもらいたい。AI の理屈がわからなくても得るものは大きいと思う。

〔引用・参考文献〕
松田拓也 (2019) 迫り来るシンギュラリティと人類の未来、日本原子力学会誌 ATOMOΣ
国立情報学研究所 ロボットは東大に入れるか
　https://21robot.org/introduce/index.html　（2022/11/06現在）
吉積礼敏・他 (2021) GCP の教科書 3［Cloud AI プロダクト編］クラウドエース
大坪直樹・中江俊博・他 (2021) XAI (説明可能な AI) リックテレコム
吉兼隆生・芳村圭 (2018) 機械学習による局地気象予報の試み 人工知能知能学会全国

大会論文集 第32回

2022/11/06現在参照 URL

Vision API：https://cloud.google.com/vision

Text-to-speech：https://cloud.google.com/text-to-speech

Speech-to-text：https://cloud.google.com/speech-to-text

Natural Language API：https://cloud.google.com/natural-language

Microsoft Lobe: https://www. lobe. ai

Microsoft AI Builedr: https://learn. microsoft.com/ja-jp/ai-builder/overview

第 2 章　AI との共存を社会科学から考える
―学際的アプローチ―
藤巻貴之・竹山　賢・柳田志学・土屋依子

はじめに　AI と向き合う必要性

　近年、私たちの生活は大きく変わった。スマートフォンの普及はもちろん
のことコンピュータの処理能力等の技術発展が、確実に私たちの生活様式に
影響を与えている。さらにその加速度は年々増している。しかし、人間の認
知能力には生物的な限界があり、その変化に無意識で対応できているとは限
らない。人類の祖先たちは自然環境の変化に適応するために、様々な意思決
定をおこなってきた。結果、生き残った我々の祖先の判断を賞賛するべきと
いえよう。このような進化の過程を考えると変化に対して生体的な適応能力
を得るには途方もない時間を要する。そして私たちが直面している現在の社
会的変化に対して、生体的な適応を待つ気も起こらないのではないだろうか。

　社会に適応する一つの方法として著者たちが願っているのは、私たち人間
の自動化機能では適応しきれない社会の事象について意識化することであ
る。知る（学ぶ）ことを通して、私たちはどのように適応したら良いのかと意
識的な判断を行うことができるのではないだろうか。そして、その判断がベ
ストなものであることを願う。

　しかし、私たちは常に合理的な判断をおこなっているとは言えず、少なか
らず過ちを繰り返している。その人間が共通して持つ不安に対して、AI の
技術は情報推奨という形で一定の解決策を提示している。本章では、AI に
よる対人認知への影響、デザインという創造のあり方、ビジネス業界におけ
るイノベーション、まちづくりでの活用を各節に分けて紹介していく。

　社会的課題に向き合う社会科学を軸に様々な視点から、すでに私たちの日
常の一部となっている AI との関わりについて議論する。なお、本稿は現代
社会における AI のあり方に対する解決策を提示するものではなく、読者に

対して "あなた" はどのように向き合うことができるかを、問うことを目的として執筆していることを念頭に入れて読み進めてもらいたい。

（藤巻　貴之）

1　社会心理学からのアプローチ
―対人認知とAI・ロボティックス―

　現在の私たちの生活を考えてみるとコンピュータ、スマホ、AIなど、生活を支える機器の発展は著しい。さまざまなICT機器を活用することで日々の生活に余裕を持ち、より自分らしい活動に注力できるのであれば積極に活用することが求められる。反面、その機器への依存度が高いと言わざるを得ないのも事実である。本節では、近年の技術的発展により期待されているAIに関連する事象について取り上げ、社会心理学（主に対人認知）の視点から考えていきたい。

　実は対人関係の研究でも、コンピュータが活用されている（ナス＆イェン、2017）。例えば、実験の中でコンピュータが特定の文章を読み上げるなどが挙げられる。対人（人と人）の関係を研究するのだから人が読み上げればと考えるが、実験条件となる話者の条件を一定に保つことは難しい。微妙な抑揚の変化などが生じるためである。しかし、できる限り条件を揃えたコンピュータによる発話は常に一定であるといえる。このように人と人を理解する研究の中でも活用されているのである。その点において、私たちの日常生活は機器との共存関係の中で生じる課題に溢れているのかも知れない。

　本節では、対人認知のメカニズムを外観し、AI（ロボティックス）の認知について考えてみたい。

対人認知のメカニズム

　対人認知（Interpersonal Recognition）とは、人が他者の性格や能力などの内面的特性をどのように捉えるかを説明することができる、ある特定の対象（人）はどのような人なのかという私たちの認知機能を示した概念である。

対人認知過程

　対人認知がどのように形成されるのかをシュナイダーら（Schneider et al.、1979）は「対人認知のプロセス」として整理している。認知者が他者を "どのような人か" というイメージを形成する過程を説明している理論である。この対人認知のプロセスは段階説となっており、前の段階の情報が次の段階の情報としてインプットされ、その情報を処理しアウトプットされたものが次の段階へ情報としてインプットされるという考え方が前提となっている。シュナイダーら（1979）の提唱する 6 つの対人認知のプロセスを解説する。

1．注意　認知は対象の存在に気づく段階。対象に対して注意を与えるところから始まる。その対象を認識し、"気づき" が生じる。私たちは日々面識もない多くの人たちに対して注意も与えずにすれ違っている。特定の人が特徴的で目を引くような他者である、目を引くような行動を取ったことによって、私たちが注意を与える必要があるかを瞬時のうちに判断する。そしてこの "気づき" が次の段階のインプットされる情報となる。

2．速写判断　注意の段階からアウトプットされた情報から速写判断を行う段階。対象はどのようなタイプの人か、害を与える人なのか、などの判断をする。この段階でも対象と "関係" を築いている段階ではないため、内的な状態を確認することはできない。あくまでも外見的情報をもとにして判断している。「スーツを着ている人だから、安心できる人である。」とほぼ無意識に個々が持つカテゴリに当てはめる。その "カテゴリ化された判断" が次の段階へインプットされる。

3．原因帰属　前の速写判断からアウトプットされた情報をもとに行動の理由を推測していく段階。対象がある行動を起こした時に、「この人がこのような行動を取るのは、性格特性による、または外的な理由によるためだ。」と行動の原因はどこにあるかを判断する。この時、その行動は対象が意図したものであると認識されると性格特性によるものだと判断される。その "行動の原因" が次の段階のインプットされる情報となる。

4．特性推論　原因帰属から受けた "行動の原因（外的・内的）" の判断から対象の性格特性を判断する段階。行動から特性を認識し、その他の特性も保持しているだろうと推測する。その "複数の特性" が次の段階へインプット

される。

5．印象形成　印象形成の段階では、特定の特性を持ち合わせているその対象に対して総合的な判断が行われ、好ましい人なのか、そうではないのかという印象が形成される。特に初期の"印象"についての重要性はよく聞くことがあるであろう。このように人に対しての人間像を作り、その"形成されたイメージ"が最後の段階のインプット情報となる。

6．将来の行動の予測　印象形成により受け取った"イメージ"から、将来その対象はこのようなことをするであろうという予測段階。特定の状況下で取るであろう行動を予測する。

　対人認知のプロセスは古典的な理論ではあるが、初対面の他者を総合的に認知するまでの段階を6つに整理し、"どのような人"かを理解する過程を説明するのに有効である。

初頭効果（第一印象）の重要性

　これまで説明してきた対人認知において、私たちは第一印象を重要視しているのであろう。初対面という状況は人を緊張状態にし、自分の言動に注意を払っている。その理由は他者が抱く印象・評価を意識しているからこそといえる。初めの情報が重要視される効果を初頭効果（Initial Effect）という。まさに初頭効果は印象形成の要ともいえ、抽象的な印象を形成するのに有効である。

　アッシュ（Ash、S. E.、1946）は、一連の研究の中で提示する性格特性の順番によって人に与える印象が変化することを示した。実際に行われた実験では、以下のように2名の紹介をした。Aさんについては、「活発、好奇心旺盛、コミュニケーション能力が高い、利己的、執念深い人である。」、一方のBさんについては「執念深い、利己的、コミュニケーション能力が高い、好奇心旺盛、活発な人である。」と特徴を挙げる順番を逆転させた。その結果、Aさんに対して好意を持つことがわかった。Aさんは最初に提示した情報が肯定的であり、後半に提示される否定的な情報によって上書きされなかった。初めの情報によって肯定的な印象が形成されると、その後に悪い情報が示されても全体的に好印象になるということである。この結果は第一印象の

影響を示すのと同時にその印象を後から変えることの難しさも示していると
いえる。

ロボットに対する認知

　これまで対人認知の概念について解説してきた。その理解をもとにロボ
ティックスをどのように認識しているのかを考えていきたい。私たちの生活
は思ったより昔からロボティックスの技術を活用している。工場などでの活
用は歴史がある。しかし、ロボットという言葉を聞いて思い描くイメージは、
人型ロボットなどを代表する AI 搭載型アンドロイドであろう。用語を整理
するとロボティックスは「ロボット工学（設計）」を意味する言葉であり、
ヒューマノイド（アンドロイド）は「人に似せたロボットのこと」を指す。
そして、ロボットは「センサー、知能・制御系、駆動系の３つの技術要素を
持った、知能化した機械システム」である。それでは、AI について考えて
みると、AI は「人工知能（Artifical Intelligent）・拡張知能（Argumented
Intelligence）の技術から人間のように考えるコンピュータ」と考えられよう。
しかし、現状においてはそのような AI は存在しないため「知的な機械（知
的なコンピュータプログラムを作る科学と技術）」と捉えるのが適切であろう。
　そのロボティックス・ヒューマノイドに対する認知評価を研究したものが
ある。森（1970）は、「不気味な谷」という仮説的な現象について取り上げた。
これはぬいぐるみ等が動くことで親和度は高まるが、そのぬいぐるみが人に
対する類似度が高くなると不気味と感じる認知の谷があることを説明してい
る。その概要は以下の通りである。ロボットが人に似ていると肯定的な態度
（親和度）を示すが、人に似ている度合い（類似度）が進むにつれある時点で
肯定的な態度が低下する。そして、再び肯定的な態度が高まるとしている。
評価者が「人間に近い」と感じる点を、不気味な谷へ落ちていく始まりであ
ると説明している。

　店舗に訪れた際にお客を受け入れるロボットが店頭にいるのを目にしたこ
とがあるのではないだろうか。森（1970）の「不気味の谷」は、これからの
社会の中で労働力を支えるロボットとの共存を前提とした開発及び活用場面
を考える上で、重要なヒントを提示してくれている。

まとめ

　本節では、他者・ロボットの認知を紹介した。AIによる影響を考える際、対人認知の一部負担を低減させることができるとも考えられる。あなたと仲良くなれそうな人は、"このような人ではないですか？"と提案されたものに対して判断をおこなうことが可能である。実社会では、親密化の過程の中で相互のその情報収集を行う。その先に示した対人認知過程を思い浮かべると初期段階の第一印象に関わる部分を簡素化できる。そのため、早い段階で親密な関係を築くことが可能とも言えよう。もちろん、情報の信憑性等の別の問題は生じるであろう。

　最後に今後の長期的な視点で考えて欲しい問いを投げかけ本節を締めたい。私たちは「知人に紹介された人」と「AIに推奨された人」に対して、印象形成、関係の継続性、関係満足度などの点においてどのような違いが生じるのであろうか。

（藤巻　貴之）

2　AIとデザイン　その表現の「境界」
―新しい表現方法としてのAI技術について―

　2022年8月末、アート界を大きく揺るがすニュースが世界に報じられた。アメリカ、コロラド州で開催されたファインアートのコンテストにおいて、AI画像生成ソフト「MIDJOURNEY」を用いて制作された作品が多くの芸術家をおさえ、優勝したというニュースである。『Theatre D' opera Satial』と題された絵画作品が、1等を勝ち取ったのだ。受賞後、この作品の作者であるジェイソン・アレン氏が、自身のソーシャルメディアへの投稿を通じて、画像作成AIを用いた作品であったことを明かした。コンテストに作品を出品していた参加者からは非難の声が上がる一方、作品の出来栄えに純粋に感動した等、賞賛の声も上がり、議論になっている。

　著者は、創作作業に携わる人間の一人として、このニュースには、非常に衝撃を受けた。クリエイティブの現場では、画像処理やCG作成の場面において、AIの技術がかなり進歩しており、少なからず、それらのソフトを活

用している者であれば、誰もが懸念していたことが、こんなにも早いタイミングに訪れたことに、複雑な気持ちを感じざるを得なかった。

　コンテストで優勝するということは、AI の作画力が生身である人間と肩を並べるほどのレベルに達しているということでもあり、またコンテストに臨んだ審査員を感動させるほどの表現力を AI がすでに有していることに他ならない。わたしたち「人間」が、AI の表現に感激し、同じ人間による表現であるのか、AI によるものなのかが、すでに見分けがつかない、つけられない状況になっている事実をまざまざと突きつけられ、個人的には、非常に興味深く、「自分ごと」として考えさせられるニュースでもあった。

　この問題の作品を出品したジェイソン・アレン氏は、アメリカに所在を置く、ボードゲームメーカー Incarnate Games 社の CEO を務めている。アレン氏は、自身の試みが「物議」を醸すことを想定した上で、この行動に出たという。「アートとは何であるか？」という長年にわたる論争に、あえて一石を投じようと考えた結果であったのだろう。

　このニュースは、私自身のこれまでの仕事、デザイナーとしての生き方にも関わる「気づき」を得られる機会になったようにも思う。特に、現在は在

図 2 - 1　画像生成 AI で制作された絵画『Theatre D' opera Satial』
（出典：ニューズウィーク日本版）

籍する大学において、担当させていただいている講義の名称にも「表現」「アート」「デザイン」という重要なキーワードが含まれており、元来は人による表現手法のみだったものが、AIによるもの、AI技術を用いたものに取って代わる時代になりつつあることを、「肌感覚」で感じ取っていたタイミングでもあったからだ。

　「人」と「AI」の表現手法における「境界」の変化や在り方について、この機会に論じてみたいと考えた。では、以下、3つの「視点」、テーマから紐解いていきたい。

身近なAI技術　「気づかず」に用いられている身近なAI

　日常生活の中で私たちが目にするポスターやテレビCM等、広告には様々な世代の人物がモデルとして登場している。では、実際には、彼らが実在していない「人物」であると聞いたら、どのように感じられるだろうか？広告には、その時世にマッチする芸能人やモデルを起用することが習わしであったが、超大手企業以外の企業にとって、その費用はかなりの金銭的な負担となることは容易に想像ができると思う。その費用を少しでも軽減すること、そして肖像権の問題を解決するための一つの方法として、近年はAIの技術が、積極的に用いられているのだ。わたしたちの気づかないうちに、その場面は数を増し、技術の向上も目覚ましい。一見すると「実在しない」人物とは思えないほどである。

　具体的にその技術を少し説明したいと思う。「0」から存在しない人物を創り出す訳ではない。実在する人物の写真をベースとして用い、架空のモデルの画像を生成するのだ。この分野において、国内では「INAI MODEL」というサービスが業績を伸ばしている。そこでは、ストックフォトを手掛けるイメージナビが、京都大学発のAIスタートアップ企業であるデータグリッド社と共同で開発した技術が採用されている。

　これら「実在しない人物」は、「ヴァーチャルヒューマン」と呼ばれ、そのモデルは、AI技術の一つであるGAN（Generative Adversarial Networks）を用いて生成されている。この、敵対的生成ネットワークと呼ばれるGANのネットワーク構造は、Generator（生成ネットワーク）とDiscriminator（識

別ネットワーク）の2つの要素から構成されており、お互いに競い合わせることで、その精度を高めていくという。弱点をAIが判別し、それをループ状にトレーニングしていくことで、格段にその精度が向上するのだ。

「ヴァーチャルヒューマン」の技術が、わたしたちの「気づかない」うちに、圧倒的な高精度を実現していた背景には、人の手によるものだけではなく、AIによる自動での精度向上のための作業がある。その技術の進化のスピードさえも、わたしたち「人間」が生み出せるスピードを遥かに凌駕しているのだ。

図2-2　INAI MODEL（出典：imagenavi）

AIとアート　創作活動に用いられているAI技術

冒頭、「はじめに」の部分で紹介した様にAI技術を用いて描かれた絵画がコンテストで優勝したというニュースから書き進めていると、読み手の方々にとって、AIが創作の現場では「悪者」として扱われてしまっている印象を与えかねないと考えてしまう。この項ではAIの技術が美術界で成し遂げた素晴らしい「功績」に触れてみたいと思う。

2019年6月11日から、東京、上野にある国立西洋美術館では、その開館60周年記念として、松方コレクション展が開催された。その企画展の中で、とりわけ話題となった一つの絵画がある。フランスの画家、クロード・モネの描いた作品「睡蓮、柳の反映」だ。この作品のサイズは、縦横、2×4.25メー

トルの大作である。生前、松方氏が、モネ本人から譲り受ける約束を取り付け、日本国内にやってくることになっていた絵画である。しかし、歴史に翻弄され、第二次世界大戦下、ナチスドイツの蛮行から、多くの美術品を守るために避難を余儀なくされた経緯の中、この作品にも破損が発生してしまった。発見時には、作品の左上部を中心に絵画全体の約半分が欠損してしまっている程の状況であったという。復元をしようにも、作品の全体像が解る資料としては、欠損する前に、モノクロで撮影された写真が残るのみ。この様な状況では、描かれた際の色彩が解らず、専門家にとっても、復元が非常に困難な状況に陥ってしまっていた。

　この難題に絵画修復家と一緒に挑んだのが、筑波大学人工知能科学センターの飯塚里志助教であった。修復家や研究者等、専門家である「人」による知識の中での推定だけでなく、その「精度」を高めるために、AI技術が積極的に用いられたという。飯塚氏は、モネの残した他の作品の彩色パターンや「癖」をAIに大量に読み込ませた。様々な作品とその彩色パターンや技法をAIに学習させることで、AIにまるで生前のモネを憑依させたかの様に、大作「睡蓮、柳の反映」の欠損部分に描かれた風景と、全体の色彩情報も含めて、作品を推定できる仕組みを構築、実現したのだ。

　専門家の経験をAI技術が補完した手法を用いて、再現されたモネの作品は、他の作品と比べても一切の「違和感」はなく、左上部半分が欠損していたとは思えないほど、色鮮やかに、鮮明に復元された。この偉業は、絵画修

図2-3　「睡蓮、柳の反映」復元作業前 （出典：凸版印刷株式会社）

復の分野、芸術の世界に留まらず、様々な分野において知れ渡った。今後、より一層高い精度を必要とされる復元作業においても、積極的なAI技術導入の機会が増えていくと考えられる。

図2-4　「睡蓮、柳の反映」復元作業後（出典：凸版印刷株式会社）

AIを取り入れたこれからのデザイン手法

　前の項目では、芸術の世界におけるAI技術の貢献について、少し紹介させて頂いた。この項目では、AIを取り入れたデザインが、思いの外、わたしたちの身近に存在しているという事実を紹介したい。実は、AI技術を用いたデザイン手法によって、生み出された製品を、すでに多くの方が、実際に手に取ったことがある程の状況になっているのだ。

　現在、スーパーマーケットやコンビニエンスストアにおいて、非常に多種多様な商品が置かれている。その中で、何気なく目にしているスナック菓子や飲料のパッケージのデザインシーンにおいて、すでにAIの技術が活用され始めている状況をご存知だろうか？

　すでに、AIが、商品のパッケージデザインをわたしたち消費者がどのように受け取り、評価するのかを予測し、好意度が高まるようなデザインを提案できるシステムが開発されているのだ。具体的に、その事例を少し紹介したいと思う。カルビーが株式会社プラグによって開発された「パッケージデザインAI」を利用し、ポテトチップス「クランチポテト」のパッケージのリニューアルを行った。「最堅」という特徴を打ち出しておきながら、その魅力を十分に伝えきれていないパッケージをAIを駆使することで、好感度

につながることを優先し、パッケージのリデザインを実施したのだ。その結果、以前のパッケージに比べ、売上が1.3倍増になったという。

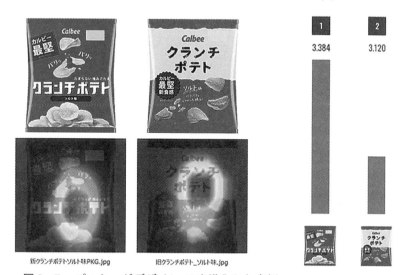

新クランチポテトソルト味PKG.jpg　　　旧クランチポテト_ソルト味.jpg

図2-5　パッケージデザイン AI を導入した事例 (出典：カルビー株式会社)

　多くの客の目に留まり、その時の印象が購買に直結する商品においては、デザイナーが趣向を凝らして、パッケージデザインをしたものよりも、これまでの商品や販売の現場で得られた圧倒的なデータの蓄積を参考にして導き出された「印象の良い」デザインが、消費者にはダイレクトに、そしてスムーズに響くということが言えるのではないか。

　私自身、デザインに携わる者の一人として、非常に考えさせられる状況になっている。効果的に好感度につながるデザインは、一人のデザイナーの主観やセンスに裏打ちされた「個のデザイン」よりも、個人では到底、調査が出来ない量のデータから学び、日々、最新の消費者の声や反応からも、その「知識」を増やし続ける AI によるデザインの方が、購買に直結するパッケージデザインを創出できる状況にあることが見てとれる。

　この様な状況に対して、デザイナーとして、危機感を持つこと自体が、すでに今の時代の潮流に逆行していることなのかもしれない。「適材適所」、まさに、AI の強みを活かし、的確な判断を得られる様に、AI に任せるべき部

分は任せる。個人のデザイナーによる創造活動と、AI 技術を積極的に導入
して創出するデザイン、その「境界」を改めて見直し、人によるデザインと
AI 技術によるデザイン分野の、上手な「棲み分け」が求められているタイ
ミングがまさに今、訪れているのかもしれない。

まとめ

　かなり駆け足ではあったが、わたしたちの身近において、「気づかない」
うちに使われている芸術、表現の分野での AI 技術について、紹介させて頂
いた。現代社会において、AI 技術の発展には目覚ましいものがある。その
進歩のスピードは、日々、加速度的に増加し、ここ数年の間にも、わたした
ちの日常生活の中で接する AI 技術に支えられた商品、サービスの量は、圧
倒的に増えていることは間違いない。わたしたちが気づかないうちに、日々
の暮らしの中で接している事例が非常に多く、多岐にわたってきている状況
についても理解頂けただろう。それはまさに「日増し」という表現がぴっ
たりの勢いである。

　この圧倒的なスピード感、AI 技術が日常生活にもたらす利便性がもては
やされる潮流はしばらく変わることはない。ただ、一方で、冒頭に紹介した
AI 技術によって描かれた絵画が、絵画コンテストにおいて優勝する等、アー
ト界における AI と手業による表現の「境界」が曖昧になりつつあることに、
私自身は不安を募らせていることも事実である。

　この圧倒的なスピード感、そしてその潮流の勢いに飲み込まれ、わたした
ち人間が AI に譲ってはならない側面、要素までも手放してしまうのではな
いかと心配になるほどだ。AI 技術がどんなに進んでも、私たちがその「手綱」
を手離してならないこと、それは「感動すること」ではないか。表現の世界
においても、これからは人によるもの、AI によるもの、その区別、判別が
難しくなることは必至であろう。だからこそ、「まとめ」のこの項では、わ
たしたち「人」が譲ってしまってはならないもの「感動する能力」について、
触れてみたいと思う。

　1980年、現代美術社から発刊された美術の教科書「少年の美術」に、日本
を代表する彫刻家　佐藤忠良が「美術を学ぶ人へ」というタイトルで、非常

に大切な言葉を残している（佐藤ら、1980）。今から約40年前に、AIはおろか、インターネットの技術さえも、まだわたしたちの日常生活の中に登場していなかった時代である。しかし、佐藤の言葉には、今の時代にも、今の時代だからこそ、忘れてはならない、大切な「気づき・本質」が込められていると思う。私自身も、学生だった頃にこの言葉に出会い、非常に感銘を受けたことをつい先日の様に、はっきりと記憶している。少し長い引用になってしまう感があるが、ここでその佐藤の言葉を引用させて頂けたらと思う。

　　美術を学ぶ前に、私が日ごろ思っていることを、みなさんにお話します。というのは、みなさんは、自分のすることの意味　なぜ美術を学ぶのかという意味を、きっと知りたがっているだろうと思うからです。

　　私が考えてほしいというのは、科学と芸術のちがいと、その関係についてです。みなさんは、すでにいろいろなことを知っているでしょうし、またこれからも学ぶでしょう。それらの知識は、おおむね科学と呼ばれるものです。科学というのは、だれもがそうだと認められるものです。

　　科学は、理科や数学のように自然科学と呼ばれるものだけではありません。歴史や地理のように社会科学と呼ばれるものもあります。

　　これらの科学をもとに発達した科学技術が、私たちの日常生活の環境を変えていきます。

　　ただ、私たちの生活は、事実を知るだけでは成り立ちません。好きだとかきらいだとか、美しいとかみにくいとか、ものに対して感ずる心があります。

　　これは、だれもが同じに感ずるものではありません。しかし、こういった感ずる心は、人間が生きていくのにとても大切なものです。だれもが認める知識と同じに、どうしても必要なものです。

　　詩や音楽や美術や演劇―芸術は、こうした心が生みだしたものだといえましょう。

　　この芸術というものは、科学技術とちがって、環境を変えることはできないものです。

　　しかし、その環境に対する心を変えることはできるのです。詩や絵に

感動した心は、環境にふりまわされるのではなく、自主的に環境に対面
できるようになるのです。

　ものを変えることのできないものなど、役に立たないむだなものだと
思っている人もいるでしょう。

　ところが、この直接役に立たないものが、心のビタミンのようなもの
で、しらずしらずのうちに、私たちの心のなかに蓄積されて、感ずる心
を育てるのです。

　人間が生きるためには、知ることが大切です。同じように、感ずるこ
とが大事です。

　私は、みなさんの一人一人に、ほんとうの喜び、悲しみ、怒りがどん
なものかがわかる人間になってもらいたいのです。

　美術をしんけんに学んでください。しんけんに学ばないと、感ずる心
は育たないのです。
　　　　　　　　　　　　　　　　　　　　　　　　　（佐藤ら、1980）

　佐藤の言う「感ずる心」。どんなに時代が変わり、AI 技術が進化したとし
ても、わたしたち人間が心を持ち続ける限り、「感ずる・感動すること」を
手放してはならない。それこそが、AI には補完できない、わたしたちが唯
一大切にできる重要なことなのではないだろうか。AI 技術の表現の「境界」
のあり方をこれからの時代に生きる若い世代が適切に認識できる様、そして
大切な「感ずる心」を育んでいけるよう、私自身も教育の現場で発信し続け
ていきたいと思う。

　　　　　　　　　　　　　　　　　　　　　　　　　　　（竹山　賢）

3　AI がビジネスにもたらす影響とは

AI は人間の仕事を奪うのか

　AI は様々な分野において不可欠な存在であるが、ビジネスの世界におい
ても同様である。それでは AI がビジネスにおいて一体どのような役割を担
うのだろうか。

　ここで一つの研究を紹介したい。それは試算の結果、「AI により人間の仕
事が失われる可能性がある」というものである。具体的には AI が今後の日

本人の雇用環境に大きな影響を及ぼすことが指摘されている。野村総合研究所（2017）はオックスフォード大学のマイケル・オズボーンらの主張を引き合いに出しながら、今後10年から20年以内に日本の労働人口の約49％が人工知能やロボットへと代替可能であることを指摘している。ここではホテル客室係、タクシー運転者、教育・研修事務員、学校事務員など100種が代替可能性の高い（すなわちAIによって仕事が失われる可能性の高い）職業だと述べており、その特徴として「特別の知識・スキルがない」職業であり、さらに「データの秩序的操作が求められる」職業だとされている。その一方で代替可能性の低い職業も存在する。具体的にはバーテンダー、美容師、小・中・高・大学の学校教員、ゲームクリエイターなど100種であり、これらは「抽象的な知識」が要求されるとともに「他者との協調・理解・交渉、サービス志向性が高い」職業だとされている。この試算は多くの反響をもたらしたが、最も重要な点は、AIが職業のレベルで様々な影響を及ぼすということであろう。

AIがもたらすイノベーション

　AIは必ずしもビジネスにおいて人間の職業を奪う関係（いわば競合関係）ではない。むしろ人間の営みを効率化し、ビジネスを円滑にする補完関係にあるものと筆者は考える。さらに従来のビジネスでは成し得なかった新たな機会（すなわちイノベーション）を生み出すことへと繋がる存在でもある。そこで本節ではAIがもたらすイノベーションについて言及したい。

　イノベーションはシュンペーターが定義づけたものであり、「新規の（既存の）知識、資源、設備などの新結合」とされている。ここでシュンペーターは新結合について5つの要素があると述べており、その5つは①新しい財貨（消費者に知られていない新商品・新品質の開発）、②新しい生産（未知の生産方法の開発）、③新しい販路（従来参加していなかった市場の開拓）、④新しい供給源（原料や半製品の獲得）、⑤新しい組織（独占的地位の形成や打破）だとしている。さらに国の経済成長においてイノベーションによる「創造的破壊」が求められると主張した。このシュンペーターのイノベーションを『経済白書』（1956）では「技術革新」と翻訳することで、内閣府（2022）は戦略的イノベーション創造プログラムを創設し、重要な政策の一つとして位置づけている。さら

に2018年から現在にいたるまで「イノベーション政策強化推進のための有識者会議『AI戦略』（AI戦略実行会議）」を開催しており、2022年7月は10回目の開催となった。すなわち日本政府はAIがもたらすイノベーションが日本経済の成長において極めて重要な位置づけであるとしている。

　また、企業レベルにおいてもAIとイノベーションは親和性が高い。ここで両者をつなぐキーワードは「知識（知）」である。たとえば資生堂は2019年4月から横浜みなとみらい21地区において新研究開発拠点「資生堂グローバルイノベーションセンター」を本格稼働させた。同施設は多様な「知」と人の融合を実現するために稼働された拠点である。後述するように美容業界においてはAIによるサービスの品質向上が不可欠となっており、今後はさらなる成長が期待できる。

AI を駆使したビジネスの事例

　ここではAIによる新たなビジネスについて、第一次産業である農業と第三次産業であるサービス（とりわけ美容業界）の事例を提示する。日本経済新聞（2021年11月30日）によると、日立製作所はオーストラリアでバナナ農園のデジタルトランスフォーメーション（DX）を支援することを発表した。発展途上国を中心に世界は人口が増加している。従来の農業システムでは食料需要の増大に対応できないが、AIを用いることでバナナの生産から物流まで一貫した体制を構築することができる。農業は製造業とは異なり、天候や気温など環境に大きく左右されてしまうが、DXを駆使することにより効率的かつ安価にバナナを供給することができる。すなわち農業とAIを組み合わせることで持続可能な「アグリテック」の市場を開拓できるのである。

　また、AIは美容業界においても新たなサービスを提供する契機となっている。日本経済新聞（2019年6月8日）によると、P&Gの高価格帯ブランドの一つでもあるSK‐Ⅱは、AIを用いた肌診断ツールをリリースした。これまで同社では美容部員が店頭において顧客の肌の状態を確認し、カウンセリングを行いながら自社の化粧品を推奨するというスタイルが確立されていた。この手法だと美容部員は自らの勘と経験に依存しなければならず、顧客も自らの肌について理解しないまま、化粧品を勧められることになりかね

い。しかしAIによる肌診断ツールを用いることで、顧客は膨大なデータから自らの肌年齢を知ることができる。また、美容部員も診断結果に基づいて最適な化粧品を客観的に提示できる。

図3-1　AIツールによる診断結果と肌の状態
著者撮影（2022年3月6日）

　このAI肌診断ツールは実際にどのような効果をもたらしているのだろうか。筆者は簡単なインタビュー調査ならびに現地調査を行うため、2022年3月6日に福岡の阪急博多に店舗を構えるSK─Ⅱを訪問した。このAI肌診断ツールを用いるにあたって、美容部員からは「提示される結果はあくまでも女性のデータをもとにしたものであり、男性は若干高く表示される」とのことであった。しかし診断結果の肌年齢は実年齢とほぼ同様であり、幾つかのおすすめの商品をもとに美容部員が簡単なカウンセリングを行ってくれた。ここで同ツールがもたらすプラスの効果が2点ある。1点目は、2020年以降の新型コロナ禍により、顧客は対面でのカウンセリングを避けるようになった。この状況においてAIによる肌診断ツールが極めて重要な役割を担うという点である。これにより顧客は美容部員と接触する機会が著しく減り、効率的にカウンセリングを受けることができる。2点目は男性をターゲットとした新規市場の開拓を可能とする点である。同社は高価格帯の化粧品としてSK-Ⅱ MENの商品をリリー

図3-2　診断結果をもとに推奨された商品
著者撮影（2022年3月6日）

スしている。現在、日本国内の実店舗
では販売されていないため、同ブラン
ドの主力ターゲットは女性となってい
る。しかし博多阪急の同店舗には一定
数の男性も顧客として来訪するそうで
ある。すなわち現在の女性向けにリ
リースしているAIの肌診断ツールを
男性向けサービスとして提供すること
で、現在の商品あるいは同社が販売し
ている男性向けの商品を購入する契機

**図3-3　美容部員によるコンサル
ティングと試供品**
著者撮影（2022年3月6日）

となりうる。化粧品がジェンダーレスの時代となりつつある昨今において、
人間の主観を介在せず、客観的に自らの肌を診断できるAIの肌診断ツール
は様々な可能性を秘めたものだと考えられる。

　以上の事例は美容業界に生じつつある現象だが、前節で述べたシュンペー
ターの新結合に該当するイノベーションの一つとして位置づけられるだろ
う。

AIがビジネスにもたらす未来とは

　前節のAIによる肌診断ツールに関する事例を踏まえると、今後、AIは
ビジネスの現場においてどのような位置づけになるのだろうか。AIは人間
の代替ないし万能の存在として不可欠な存在となるのだろうか。筆者はこの
点について、AIは人間の代替ではなく、あくまでも補完としての位置づけ
となる点を指摘したい。すなわちAIはビジネスにおいて短期で業務を終え
ることができ、効率化を図ることができる点に優位性がある。そのため成功
するかどうか分からない（新規事業などの）不確実な状況において、失敗を回
避することができる。ところが人間は失敗が分かっていても敢えて「挑戦」
することができる。この点は極めて重要である。すなわちビジネスの世界に
おいて、成功する確率が極めて低い場合、AIは意思決定の選択肢を排除す
る可能性がある。しかし人間は確率が極めて低くても、失敗を覚悟で挑戦す
ることができる。これまでのビジネスの歴史において、長期的に見ると失敗

した経験こそがイノベーションの創出や企業の成長へと繋がった、という
ケースは数多く存在する。予測不能な状況において失敗を恐れず挑戦する
ことこそが人間の持つ優位性であり、だからこそ政府や企業は挑戦や失敗を許
容する制度づくりを推進することが求められるだろう。

（柳田　志学）

4　行政・まちづくり分野におけるDXとAIの活用

　行政・まちづくりの分野における「（高度）情報化」が政策として位置付
けられたのは、実は1980年代である。以降、政府・各省は「電子政府」、自
治体は「地域情報化」を掲げ、行政サービスやまちづくりの分野に係る保有
する情報を電子化・一元管理し、庁内での業務の効率化に取り組んできた。
2001年にIT国家を目指す「e-Japan戦略」が示されて以降法整備が進み、
住民基本台帳ネットワークシステムの稼働やマイナンバーカードの利用が開
始された。今では、多くの自治体で、コンビニエンスストアで住民票等証明
書を入手できるようになったが、こうした住民の利便性に直結する各種の手
続きの簡素化に拡大してきたのはここ10年ほどのことである。

　近年では、行政手続に係るオンライン利用の原則化を定めた「官民データ
活用推進基本法（2016年）」、行政手続等の利便性の向上や行政運営の簡素化・
効率化を定めた「デジタル手続法（2019年）」が制定され、2021年には「地方
公共団体情報システムの標準化に関する法律」が成立した。このように行政
分野のDX（デジタルトランスフォーメーション）化の方針が明確になったこと
によって、情報システムの標準化やネットワーク化が進み、「電子政府＝デ
ジタル・ガバメント」と「自治体DX」の取り組みがさらに活発になった。
かつては、行政情報システムを各自治体が独自に構築し自治体間での連携の
妨げになっていたが、標準化により共同利用が可能となり機能向上や導入費
用の負担が削減されることによって、AIの導入・活用が加速することが期
待される。

　現在、政府、自治体、民間事業者等の各主体が地域ごとに、あるいはサー
ビス・事業分野ごとに、協力・連携してハード・ソフト両面からのシステム
づくりが進められているところである。AIの活用が進む分野は、教育、医

療・福祉、都市・交通・インフラサービス、産業振興・観光等と多岐にわた
る。また分野を横断する複合的な取り組みも多いが、本節では私たちの生活
に密着する行政、防災、交通分野での活用事例を紹介する。

◆行政分野

① **行政サービス自動応答（チャットボット）システム（宇都宮市）**

　住民からの行政サービスの申請手続きや証明書の発行、制度等に関する質
問、職員の庁内手続き・業務に関する質問等に AI が自動で応答し、該当す
る情報を案内するシステムである。行政内部の事務や外部からの問い合わせ
対応業務を効率化できる。例えば宇都宮市では、子育て、ごみの分別、住ま
いに関する問い合わせを LINE で受け付けている。

◆防災分野

② **「防災チャットボット SOCDA」AI 防災協議会**
　　（AI 防災支援協議会、2021）

　LINE を活用した被難誘導システムである。ユーザーが LINE 公式アカウ
ント「AI 防災支援システム」に対して被害状況のテキストや位置情報、写
真で投稿すると、投稿された災害情報を AI が整理し地図上に表示する。災
害発生地点とその被害状況の地図情報を LINE 上に公開することによって、
人々を安全に避難誘導することが可能となる。

③ **AI による家屋被害自動判定システム**
　　（富士フィルムシステムサービス株式会社）

　災害発生後にドローンや衛星で撮影・収集した被害家屋の画像から被害程
度を AI が自動判定し、データを集計したり地図にマッピングしたりするこ
とで可視化する。自治体は迅速に被害状況が把握でき、発災直後の復旧計画
策定や支援要請、職員の現地での支援活動などに活用する。葛飾区で導入さ
れている（葛西区、2020）。

◆交通分野

④　AIオンデマンド交通（国土交通省）

　乗降場所を利用者が自由に選べるオンデマンド型公共システムである。利用者がスマートフォンのアプリや電話で、乗りたい時刻・乗りたい場所をリクエストすると、AIが最適な乗り合わせと経路を判断し、運行を支援する。利用者の利便性を高め、事業者にとって効率的な運行を可能にする。WILLER EXPRESS 株式会社（大阪府大阪市）、千葉中央バス（千葉県いすみ市）等で導入されている。

⑤　混雑情報提供システム（国土交通省）

　バスに搭載された車載カメラやカウンターによって、車内のデータ・情報を収集し、リアルタイムで混雑状況を提供する。利用者側の判断に必要となる「混雑」に関する情報を積極的に提供することで、利用者がより自主的に、正しく混雑を回避して公共交通機関を利用するよう行動変容を促す。東急バス株式会社（東京都渋谷区）、茨城交通株式会社（茨城県水戸市）等で導入されている。

　上記の事例をみると、AIの活用により私たちの生活において、行政や事業者が提供する「サービスを便利に快適」にしたり、「生活の安全・安心」を守ったりするのに有効なツールであることがわかる。特に交通分野では、利用者が、出発地・目的地と時間帯に合わせて、料金や身体・心理的な負担度合いを考慮して最適な手段を選べるよう、異なる交通サービスの検索・予約・決済等を一括で行うことができる MaaS（マース：Mobility as a Service）の導入・構築の実証実験が始まったところである。現在はモード・事業者ごと、地域ごとに提供されているサービスが、一連の途切れないサービスとなることが期待される。活用事例で取り上げたバスサービスだけでなく、鉄道、タクシーなどの公共交通やカーシェア・シェアサイクルなどの交通サービスを組み合わせるため、一度に大量の移動・利用・運行データの収集・処理・管理が必要となるが、AIの導入・活用によりリアルタイムで配車・経路等の運行サービスの計画・管理ができるようになった。さらには、例えば観光目的の移動であれば移動手段の予約と同時に観光施設、通院目的であれば病

院、買い物目的であれば商品の予約ができるなど、移動・外出に付随する他の様々なサービスとの連携についてもシステムの実証段階にある（株式会社NTT ドコモ、2022）。今後、これらが実用化されれば、私たち利用者にとっては一層利便性や快適性が向上することになり、事業者側にとっては経済的にもエネルギー消費においても効率的にサービスを供給することができる。さらには、公共交通の混雑緩和や利用者の移動負担の軽減は、日頃外出が困難な高齢者や障害者の方、コロナ感染症への不安から外出意欲が低下した方にとっても、外出を促進することにもつながる。

　いずれの事例にも共通していることは、「大量の情報を同時に収集・処理・分析」して、「AI の活用により即時に次のユーザーに対して新たな情報を提供する」仕組みを有している点にある。すなわち、これまで行政や各事業者（サービスの提供者）が個別に管理していた情報を集約し一元管理することが実用化に至る第一歩となる。

　例えば、「移動」に関する情報で考えてみると、これまで鉄道事業者やバス事業者は「乗降場所（駅やバス停）と料金」は正確に把握できているが、移動する人の性別・年齢・居住地情報等の情報は収集していない。しかし、MaaS においては、移動に関していえば、移動時間帯・発着時刻、出発地や経由地・最終目的地、滞在時間、一緒に移動している人の人数や決済方式などの情報も必要になる。それ以外にも、移動目的や同行者情報など（高齢者が通院目的で利用するのか、乳幼児と一緒に家族連れが買い物目的で利用するのかなど）も有用な情報になりうるだろう。このように移動だけをとってみても、単位も種類も異なる膨大な情報となるが、さらにこれらに行政や民間の個人情報やサービス等の利用情報と紐付けて管理していくとなると、保有・管理する個人情報は一層複雑かつ大量になる。現在、官民をあげて、データ連係基盤・システムのあり方（誰が、どこに集約し、どのようなルールで、情報漏洩なく安全に活用しうるようにするのか）、その運用主体、活用体制や技術・仕組みの議論が始まっているが、社会全体としての制度設計はまだ端緒についたばかりといえる。

　データ連係においては、厳格なルールと何層ものセキュリティ対策によって高い安全性を確保しつつも、利便性の高い利用環境を実現することも肝要

である。過度に用途を限定したり、手続きが煩雑になりすぎたりすると、活用する企業や機会が減ってしまうことになりかねない。複雑に紐付いている

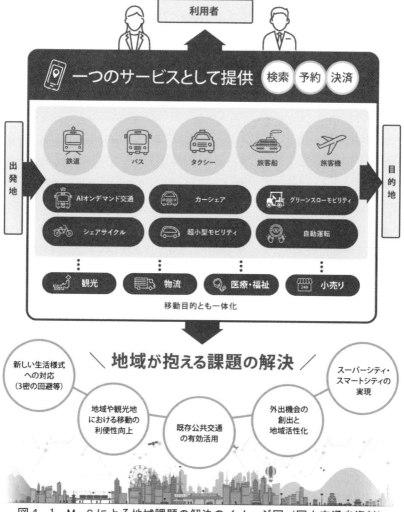

図4-1　MaaSによる地域課題の解決のイメージ図（国土交通省資料）

注：MaaSとは一人一人のニーズに応じて、鉄道、バス、タクシー、旅客船、旅客機など複数の公共交通やそれ以外の移動サービスを最適に組み合わせて検索・予約・決済等を一括で行うサービス。「グリーンスローモビリティ（電動で、時速20km未満で公道を走る4人乗り以上の乗り物）、「超小型モビリティ（一人乗り電動自動車）」などの新たな乗り物や自動運転も含む。

データから必要なデータを取り出して活用可能な形式に処理して分析したり、あるいは、分析結果を正しく読み取ってわかりやすい活用可能な情報として提供したりするプロセスでは、依然として、それができる「人の手や知恵」も求められるのではないか。すなわち、データを操るデータサイエンスの知識・技術の習得に加え、地域や社会の問題を構造的に捉える分析力や教養を有する人材、である。高度なセキュリティが担保された新たなシステムの技術開発・制度設計と同時に、それらを使いこなす専門性を持った人材の育成も急務であると考えられる。

　本節では行政・まちづくり分野におけるいくつかの事例を紹介したが、紹介した事例以外にも、With コロナ時代、高齢社会の地域課題を解決するために AI を活用する様々な実証実験が行われている。これらのなかから、地方財政が厳しいなかで、新たな都市・地域の運営・管理制度の土台が生み出されることを期待したい。

（土屋　依子）

最後に

　本章では、1 社会心理学、2 デザイン、3 マーケティング（ビジネス業界）、4 まちづくりという各分野の視点から AI について論じた。今後、更なる活用が見込まれる AI 技術をどのように受け止め、どのように適応していくか注視していく必要がある。本章で挙げた課題も解決され、考え方や取り組みが当たり前となる日も来るであろう。

　このような社会的変化に対して、その対象を正しく認識することで、より良く関わることができると考えられる。AI のメカニズムやその背景にあるアルゴリズムの存在を知らないまま、AI に従う・拒否することは避けたい。そのためにも、すでに浸透している AI がどのように機能しているのかを考えていくべきである。その上で、AI の利点を生かし、人の能力を最大化すると共に AI と人の棲み分けを考えていく必要があろう。AI 技術によるより良い社会の実現は、人との関わり、日常生活、余暇、ビジネス場面、行政など、様々な分野で議論され続ける。人が正しい使い方と活用のスキルを身につけることを期待する。

（藤巻　貴之）

〔引用・参考文献〕

1　社会心理学からのアプローチ　―対人認知と AI・ロボティックス―

Asch、S. E.（1946）Forming Impressions of Personality. Journal of Abnormal and Social Psychology、Vol.41、pp.258-290.

クリフォード・ナス、コリーナ・イェン（2017）『お世辞を言う機械はお好き？ コンピューターから学ぶ対人関係の心理学』福村出版、細馬 宏通（監修、翻訳）、成田 啓行（翻訳）.

森政弘（1970）「不気味の谷」『Energy エッソスタンダード石油（株）』Vol.7（4）、pp.33-35.

Schneider、D. J.、Hastforf、A. H. & Ellsworth、P. C.、（1979）Person Percetion 2nd ed. Addison-Wesley. 訳：対人行動学研究会編（1986）『対人行動の心理学』、誠信書房 .

2　AI とデザイン　その表現の「境界」―新しい表現方法としての AI 技術について―

Imagenavi（2022）「わたしたち、実はいないんです。」<https://imagenavi.jp/topics/inaimodel/>（2022年10月閲覧）

カルビー株式会社（2020）「さらに"最堅"に合う味わいへ！」<https://www.calbee.co.jp/newsrelease/200924.php>（2022年10月閲覧）

ニューズウィーク日本版（2022）『「不誠実だ！」「芸術とは何か？」 米アート祭で 1 位の絵画、AIの自動生成だった』<https://www.newsweekjapan.jp/stories/world/2022/09/1ai-1.php>（2022年9月閲覧）

佐藤忠良ほか（1980）『少年の美術』現代美術社.

TOPPAN（2019）「国立西洋美術館と凸版印刷、モネの幻の大作《睡蓮、柳の反射》の欠損箇所をデジタルで推定復元し初公開」<https://www.toppan.co.jp/news/2019/06/newsrelease190610.html >（2022年10月閲覧）

3　AI がビジネスにもたらす影響とは

経済企画庁編（1956）『昭和 31 年度 経済白書 ―日本経済の成長と近代化―』至誠堂.

内閣府 科学技術・イノベーション推進事務局（2022年 4 月）「戦略的イノベーション 想像　プログラム（SIP）概要」<https://www8.cao.go.jp/cstp/gaiyo/sip/sipgaiyou.

pdf＞（2022年11月20日閲覧）

内閣府（2022）「科学技術・イノベーション」＜https://www8.cao.go.jp/cstp/stmain.
　　html＞（2022年11月20日閲覧）

日本経済新聞（2019年6月8日）「SK－Ⅱ、店員からの圧力なくす　AIやロボット活
　　用で　原宿に未来型店舗」＜https://www.nikkei.com/article/DGXMZO45818190X00
　　C19A6H63A00/＞（2022年11月20日閲覧）

日本経済新聞（2021年11月30日）「日立、バナナ農園をDX　生産・物流をIoTで効率
　　化　」＜https://www.nikkei.com/article/DGXZQOUC2694F0W1A121C2000000/＞
　　（2022年11月20日閲覧）

野村総合研究所（2017）「日本におけるコンピューター化と仕事の未来」＜https://www.
　　nri.com/－/media/Corporate/jp/Files/PDF/journal/2017/05/01J.pdf?la=ja－JP&
　　hash=6B537BB1EB48465D0AF4A3EA1B1138809F916683＞（2022年11月20日閲覧）

資生堂（2019年4月）「新研究開発拠点『資生堂グローバルイノベーションセンター』
　　本格稼働〜更なる成長に向けた新しい研究開発の実現へ〜」＜https://corp.shiseido.
　　com/jp/newsimg/2656_o6r66_jp.pdf＞（2022年11月20日閲覧）

4　行政・まちづくり分野におけるDXとAIの活用

AI防災協議会「SOCDAを全国共通基盤として活用するためのLINE 公式アカウント
　　『AI防災支援システム』を公開）」、2021 年 11 月 30 日プレスリリース、＜https://
　　caidr.jp/data/2021-11-30press.pdf＞（閲覧日：2022年11月10日）

富士フィルムシステムサービス株式会社「罹災証明交付迅速化に向けた取り組み」
　　＜https://www.fujifilm.com/fbss/solution/public/bousai＞（閲覧日：2022年11月10日）

株式会社NTTドコモ「幕張新都心エリアにおける「千葉市幕張MaaS実証事業」を推
　　進、2022年1月25日プレスリリース、＜https://www.docomo.ne.jp/binary/pdf/info/
　　news_release/topics_220125_00.pdf＞（閲覧日：2022年11月10日）

葛飾区「罹災証明書発行の迅速化等に係る研究に関する協定締結式を行いました！」
　　2020年7月1日 ＜https://home.katsushika.kokosil.net/ja/archives/30417＞（閲覧日
　　：2022年11月10日）

国土交通省「日本版MaaSの推進、基盤整備の推進」＜https://www.mlit.go.jp/
　　sogoseisaku/japanmaas/promotion/measures/index.html＞（閲覧日：2022年11月10日）

宇都宮市「LINE で24時間回答「教えてミヤリー」」2022年3月10日更新、<https://www.
　　city. utsunomiya.tochigi.jp/kurashi/kosodate/shien/1022084.html>（閲覧日：2022
　　年11月10日）

第3章　消費者とAI
―消費者相談分野のAIの活用―

田中　泰恵

1　はじめに

　2022年度の高校1年生から必修化された科目「情報Ⅰ」は、デジタル社会での実践的な課題解決力を養うことを重視していると言う。現代の私たちの生活の中には、気付く気付かないにかかわらず、様々な場面でAI（Artificial Intelligence）の技術が活用されている。今後、自分たちの手で生活または社会を創造的で豊かなものにするためにも、年代に関わりなく、その基本知識が必要となっていることは間違いないようだ。

　筆者自身、AIについては素人の領域であるが、長年関わってきた消費者教育、消費者相談の分野でも、AI技術を活用した情報提供の必要性やAIの利活用が盛んに議論されるようになった。そこで本稿は、読者のAI理解の一助となることを願い、これらの現状について報告する。

2　AIに対する消費者の意識

　消費者庁の「消費者のデジタル化への対応に関する検討会 AI ワーキンググループ」は、消費者とAIとの関わりの現状を把握し、AIが消費者にもたらすメリットと懸念点の整理に活用するため、消費者の「AI」に関するイメージや日常生活におけるAIサービスの利用実態に関するアンケート調査を実施した（「第1回消費者意識調査」実施期間：2020年2月、全国10代～60代の男女1,236名、性別・年代で均等割付）。以下に、その結果の一部を紹介する。

（1）AIの認知度

　まず「AI（artificial intelligence、人工知能）」という言葉を知っていますか?」という質問に対して、「知っている（意味を理解している）」「知っている（何となく意味も知っている）」「知っている（聞いたことはあるが、意味は知らない）」「知

らない（全く聞いた事もなく、意味も知らない）」の４択で回答を求めたところ、回答者の93.4（％）が「AI（人工知能）」という言葉を聞いたことがあると回答している。またその内、80.3（％）が「AIの意味を理解している」「AIの意味を何となく知っている」と回答している。年齢別にみると「知っている（意味を理解している）」の割合は若い年代の方が多い傾向にあるが、一方で「知らない（全く聞いた事もなく、意味も知らない）」の割合は年代が高い方が少ない（図１）。全世代に広く「AI」という言葉が浸透していることがうかがえる。

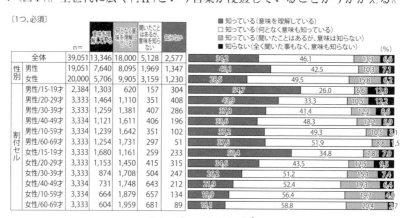

〔1つ、必須〕

■ 知っている（意味を理解している）
□ 知っている（何となく意味も知っている）
□ 知っている（聞いたことはあるが、意味は知らない）
■ 知らない（全く聞いた事もなく、意味も知らない）　　　　(%)

		n=	意味を理解している	何となく意味を理解している	聞いたことはあるが、意味を知らない	知らない				
	全体	39,051	13,346	18,000	5,128	2,577	34.2	46.1	13.1	6.6
性別	男性	19,051	7,640	8,095	1,969	1,347	40.1	42.5	10.3	7.1
	女性	20,000	5,706	9,905	3,159	1,230	28.5	49.5	15.8	6.2
割付セル	男性/15-19才	2,384	1,303	620	157	304	54.7	26.0	6.6	12.8
	男性/20-29才	3,333	1,464	1,110	351	408	43.9	33.3	10.5	12.2
	男性/30-39才	3,333	1,259	1,381	407	286	37.8	41.4	12.2	8.6
	男性/40-49才	3,334	1,121	1,611	406	196	33.6	48.3	12.2	5.9
	男性/10-59才	3,334	1,239	1,642	351	102	37.2	49.3	10.5	3.1
	男性/60-69才	3,333	1,254	1,731	297	51	37.6	51.9	8.8	1.5
	女性/15-19才	3,333	1,680	1,161	259	233	50.4	34.8	7.8	7.0
	女性/20-29才	3,333	1,153	1,450	415	315	34.6	43.5	12.5	9.5
	女性/30-39才	3,333	874	1,708	504	247	26.2	51.2	15.1	7.4
	女性/40-49才	3,334	731	1,748	643	212	21.9	52.4	19.3	6.4
	女性/10-59才	3,334	664	1,879	657	134	19.9	56.4	19.7	4.0
	女性/60-69才	3,333	604	1,959	681	89	18.1	58.8	20.4	2.7

図1　「AI」の認知度[1]

（2）AI に対するイメージ

AIのイメージについては、「暮らしを豊かにする」「生活に良い影響を与える」というポジティブなイメージをもつ人が多い一方で、半数近くの回答者は「不安」「何となくこわい」というネガティブなイメージを持っている（図２）。またネガティブなイメージについては、AIの認知度別の分析もし

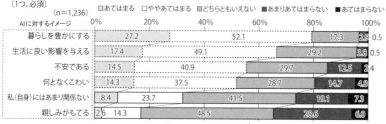

〔1つ、必須〕　　（n=1,236）　□あてはまる　□ややあてはまる　□どちらともいえない　□あまりあてはまらない　■あてはまらない

AIに対するイメージ	0%	20%	40%	60%	80%	100%
暮らしを豊かにする	27.2		52.1		17.3	2.9　0.5
生活に良い影響を与える	17.4	49.1		29.2		3.8　0.5
不安である	14.5	40.9		29.7	12.5	2.4
何となくこわい	14.3	37.5		28.7	14.7	4.8
私（自身）にはあまり関係ない	8.4	23.7	41.5		19.1	7.3
親しみがもてる	2.6　14.3		48.5		28.6	6.0

図2　「AI」のイメージ[1]

ているが、意味を知っているか否かに関わらず、「不安」「何となく怖い」というネガティブなイメージを持っている消費者が一定程度存在することを報告している。これに対して消費者庁は、ポジティブ・ネガティブの両面から消費者に提供する情報を検討する必要があると考察している。

（3）AI と人を比較した場合の、AI のイメージ

　AI と人を比較した場合の AI のイメージについては、ほとんどの消費者が AI は「多くの情報を持っている」と回答している（全体の87％）。しかし AI は必ずしも多くの情報を持っているわけではない（例：予め情報を保有しておらず、消費者からの情報提供が必要となるケースがある）。また AI は「何でもできる」「ミスを起こさない」と考える消費者が一定程度存在していること、また（1）の認知度別に分析した結果、AI の意味を理解しているか否かに関わらず、「何でもできる」「ミスを起こさない」という過大な期待（イメージ）を持っていることも明らかとなった。そのため消費者庁は「AI に対する過大なイメージを解消するため、AI に関する正しい情報を伝えることが必要。また、『AI を理解している』と回答している人が本当に理解しているのか、確認が必要。」と指摘している。

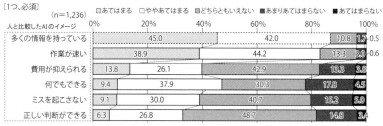

図3　AI と人を比較した場合の、AI のイメージ[1]

（4）AI 技術の利用に対しての理解

　「製品・サービスに AI 技術を利用しているものがある事をご存知ですか？また、これら製品・サービスを利用したことがありますか？」という質問に対しては、「コミュニケーション」「生活家電」についてほとんどの消費者が「AI 技術が利用されている」と認識しているが、その他の AI 技術を利用し

ている製品・サービスについては、半数以上の消費者が認識していないという結果となった（図4）。また分析の結果として、各製品・サービスがAI技術を利用していることを「知っている」と回答した人は、「知らない」と回答した人よりAIへの期待が大きく、今後利用したいと考えている割合が高いと報告されている。

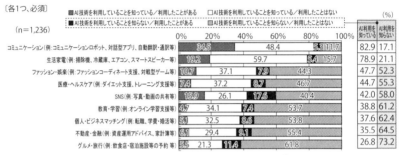

図4　AI技術の利用に関する理解[1]

（5）AIに対する不安

　製品・サービスに利用されているAIについて不安に感じることに関しては、「セキュリティ（個人情報の漏洩）」や「AIから得られる情報が（事業者によって）人為的に操作されてしまう」「プライバシーの侵害」という情報の取扱いに不安を感じていると回答している人が多い。また「生命・身体の危害」「AIによる不当な判断・差別」「想定外の動作の発生」などすべてに不安であると感じている人がいることも報告された。それに対して消費者庁は、AIを利用する際の利用者情報の取扱について消費者に伝える必要や、各製品・サービスごとに消費者が感じる不安に応じて消費者に伝えるべき内容を整理する必要があると論じている。

（6）その他

　まず、AIの利用経験のある消費者の多くが「今後AI利活用サービスの利用を増やす」意向があるのに対して、利用経験のない消費者では、今後も「利用しない」意向の消費者が多いことを挙げ、利用経験のない消費者への特段の働きかけがなければ、AIの利用者と非利用者で今後二極化していく

可能性があることを指摘している。

　次に、消費者アンケートの結果、「技術に詳しくない層にもわかり易く説明してほしい」「高齢者にもわかりやすい日本語で誘導してほしい」「難しいカタカナ文字の説明はわからない」「AI のメリットデメリットを可視化できるようにしてほしい」「誰にでもわかりやすい言葉でサービス内容や注意内容を説明してほしい」「高齢者は取り残されてしまう」等のコメントが多く寄せられたと報告している。そのため AI に関心がありながら理解できないために利用を踏みとどまっている消費者も少なくないことが想定され、技術に詳しくない者でも理解しやすい、説明・注意喚起が求められていると考える、としている。

　さらに AI 利活用製品・サービスの利用については、「上記のアンケートに掲げられているような AI の課題が解消されるなら利用を増やしたい」と回答した消費者が、利用経験がある消費者では２割強、利用経験のない消費者では３割強となっており、事業者においてセキュリティやデータの目的外利用に関する対策を進める必要性を示唆する一方で、消費者が知りたいポイントとしてこれらの点を解説する必要性がある、としている。

　消費者庁は上記アンケート結果の分析および議論を踏まえ、社会がデジタル化していく中で消費者が AI に向き合っていくための第一歩を踏み出すためのサポートとして、2020年７月にハンドブックを発行した。ハンドブックは、AI そのものの仕組みや特性と制約、AI を活用したサービスの類型などを整理した「基本編」と、個別の製品やサービス類型別に、仕組みや注意点を紹介のほか困ったときの問合せやデータ管理における留意点など、実際の利用を念頭に置いた「利用サービス別のチェックポイント編」の二部構成となっている。また、AI についてほとんど知らない消費者と、AI についてよく知りたいと思っている消費者で情報のニーズが異なることを踏まえ、要点を抽出した「AI 利活用ハンドブック〜 AI をかしこく使いこなすために〜（パンフレット版）」も作成している。

　なおこれらは、消費者庁のサイト「AI 利活用ハンドブック〜 AI をかしこく使いこなすために〜」[2] でも公開されている。まだご覧になったことがない方は、是非一度目を通して知識を確認していただければ幸いである。

3　企業の消費者対応部門（お客様相談室等）における AI活用

　次に消費者相談分野での AI の活用について概観する。消費者相談の実施主体としては、主に企業の消費者対応部門（お客様相談室等）と行政（国民生活センターと各地域の消費生活センター等）が挙げられるが、本章では前者における AI活用について紹介する。

（1）消費者への直接的対応における活用

　消費者対応部門（お客様相談室等）においては、一般的に「機械学習」と「自然言語処理」という AI の2つの機能が活用されている。

　機械学習とは簡単にいえば、AI に必要なデータを与え、その能力を向上させる仕組みを意味する。例えば、「お客様からの質問例やそれに対する回答例を与え、類似した質問が来たとき同様の回答を実行する」よう、AI に学習させる。

　一方、自然言語処理とはメールや電話、チャットなどでやり取りされる人間の言葉を「理解」し、その言葉に応じて AI が判断や行動を起こすための技術である。この AI の自然言語処理を活用した代表例としては、「チャットボット」が挙げられる。

　チャットボットは、人間である消費者がコンピューターと自然に会話をし、適切なサポートや回答を得ることを目的としたシステムである。文字で入って来た消費者からの問い合わせに対して、文字で回答する。消費者の問い合わせに対して AI 技術 を活用したテキスト分析が自動的に行なわれ、問い合わせ内容が想定質問集の、どの質問項目に最もよく合致するかを特定し、それに対応する回答をテキストで表示するという仕組みである。消費者側の視点からみればセルフサービスに近い形となるが、24時間365日対応可など消費者の利便性向上、対応の標準化、大量の最新情報による判断の正確性など、メリットは大きいと言われる。AI チャットボットを導入する企業は今後益々増加していくことであろう。

　なお、電話（音声）での消費者からの問い合わせにおいても、AI 技術を活用したソフトウェアで自動的にテキストに変換されている場合もある。そ

のテキストを分析して回答候補を確率の高いものから順に複数、電話対応担当者のPC画面に表示している。担当者はその中から選んで、あるいは、さらに関連情報を参照して、お客様に素早く、より適切な回答するという流れになる。消費者は担当者に電話で質問し、担当者がそれに電話で答えてくれている状態であるため、消費者はそこにAIが存在していることには気付かない。しかし電話対応担当者のアシスタントの役割をAIが担ってくれているのである。

（2）間接的業務における活用

　上記は消費者対応の直接的な業務におけるAI技術の活用だが、それを支える間接的な業務にもAIは活用されている。例えば、上記のような電話対応の場合、テキストに自動変換された消費者と対応担当者の音声は応対履歴として残り、それをもとに報告書を作成することができる。これまでは電話対応の内容を担当者が記録したり音声録音したりして、それを基にテキスト入力し報告書を作成していたが、それに比較すると処理時間が大きく削減される。

　また消費者対応担当者のスキルアップにもAIは活用されている。対応内容について、例えば言ってはいけない言葉を自動検出したり、話すスピードやお客様と話がかぶる回数を自動的に算出したりすることなどにより、お客様対応の質について客観的な評価をすることも可能であるという。さらには音声データ自体を対象として感情解析を行うソフトウェアもあり、不安や緊張、怒りといった感情を検出して、消費者対応の改善に活かすことにも利用されている。

（3）AIと人との連携・協働と課題

　今後、消費者がお客様相談室にコンタクトを取るチャネルとして、若い世代からの電話の減少が顕著になることが予想されている。若い世代は日常的にも電話をあまり利用していないことから考えても納得ができる。そして、その移行先として最も大きな存在になると予想されているのが チャットボットである。

　しかし現状で AI 技術で対応できる範囲は限定的であり、これまでサイトに提示していた「よくある質問」の部分をチャットボットに移行している企業が多い。そしてチャットボットでは問題が解決しない場合は、「問い合わせフォーム」へ誘導する企業も見受けられる。また有人対応でもある自社アカウントの SNS やチャットに移行する場合もあるが、オペレーターに切り替えるハイブリッドチャットサービスを利用する企業も見受けられる。つまり AI と人との連携・協働による対応である。

　この「AI と人との連携・協働」が、企業が AI 活用の今後を考える上で、極めて重要であり、また課題でもあると指摘されている。具体的には、AI を活用した（AI に任せる）サービスをどれだけ拡充できるか、またはどれくらいの割合が顧客満足として最適なのかを吟味しなければならない。さらに、AI と連携・協働した「人による対応」がどれだけレベルが高く充実しているかが重要となる。対応するスタッフには当然に、IT リテラシーを備えて、AI を活用したツールを使いこなせる人材が求められるだろうし、その一方で、人が担うべき業務の複雑性や難易度が高くなるので、より高度な判断力やコミュニケーション能力が要求されことにもなる。

　AI の活用が進むと、人にしかできない業務は減少するが、その対応には高度なスキルと多大な労力・時間が要求され、その結果が企業のイメージ等に及ぼす影響も大きくなる。むしろ人の対応の重要度が増すということだ。さらに「おもてなし」や「ホスピタリティ」はどのような時でも顧客にとって重要な価値を持っているが、これらは AI に期待できるものではない。

　以上のように、企業の消費者対応部門では、（もちろん企業により活用度に違いはあるが）様々な場面で AI が活用されるとともに、人との連携・協働のバランスをどのように取っていくか、それによりどのように最大の効果をもたらすかということを検討する段階にあるといえる。

4　行政の消費者相談の分析における AI 活用

　消費者が企業の消費者部門に対して行う相談の多くは、その企業が提供している商品やサービスに対する問い合わせやクレーム・苦情である。しかしトラブル、特に契約上のトラブルの場合は企業と消費者の二者間での解決が

難しく、消費者は行政の消費生活センター及び消費生活相談窓口（以下「消費生活センター等」）に相談することが多くなる。本章では、行政による消費者相談における AI 活用について現状を確認する。

　まず、行政の消費者相談の全体像を確認する。

　全国の各自治体が運営する消費生活センター等で行われた消費者からの相談は、消費者庁所管の独立行政法人「国民生活センター」が管理するサーバー「PIO‐NET（パイオネット）：全国消費生活情報ネットワークシステム」で一括管理されている。これにより悪質商法等の消費者問題に関する最新の動向について、全国の消費生活センター等の間で情報共有が行われることになる。またこの PIO‐NET に収集した相談情報の具体的な活用目的は、①全国の消費生活センター等の相談業務に対する支援 ②（これらのデータを分析することにより、トラブルの予防として）消費者に対する注意喚起 ③ 行政機関における消費者政策の企画・立案、法執行等となっている[3]。

　PIO‐NET は1984 年度より運用が開始されたが、40年弱の長きにわたり消費生活相談において重要な役割を果たしてきた。これまでは担当者が経験などを頼りに、類似する消費者トラブルや被害事例を PIO‐NET で検索し、トラブルになりやすい契約かどうかを判断してきたが、近年では毎年90万〜100万件程度の消費生活相談情報が寄せられており、被害拡大まで覚知できないことも多く、豊富なデータを生かし切れていないとも指摘されている。

　代表例の一つとして、動画や音楽配信などのサブスクを巡る契約トラブルが挙げられる。2020年上半期ごろには「サービスの解約手続きができないまま料金を請求された」などのトラブルが目立ち始めていたが、実際に国民生活センターが事態の深刻さを認識し、個別集計に着手したのは約１年後だったという。この時点で既に全国で月500件程度の相談があったといい、被害実態を分析し消費者に注意喚起する発表に至ったのは2021年10月だった。消費者庁の担当者は「AI が常に相談データを分析していれば、もっと早く察知して対策を打てた可能性がある」と話しており、人手での対応の限界を露呈した形となった。

　また新型コロナウイルス下では、ネットを通じてマスク販売やワクチン接

種をかたり現金をだまし取るなどの手口が横行した。こうした社会情勢の変化に乗じた手口から消費者を守るためにも、消費者被害の傾向を素早く把握し、注意喚起や政策につなげる仕組み作りが必要であるが、まだPIO‐NETにはAI技術の活用がなされていない。

　なおPIO‐NETの運用が始まった1984年はインターネット普及前であったこともあり、専用回線、専用端末等の閉ざされたネットワーク環境で運用がスタートしている。さらにその後の個人情報・情報セキュリティを重視する傾向も相まって、閉ざされたシステム構造からオープンなシステムへの変革が遅れている。

　このような状況の中、2018年9月に発表された「次期PIO‐NET刷新に向けて―PIO‐NET刷新検討会報告書―」の中で、AI技術の積極的な活用が提言された。具体的には、主にAI技術を活用する場面として2点あげられている。

　1点目は、相談員が入力する相談内容に基づき、AI技術により内容等キーワードの候補を表示させる機能を追加する仕組みで、入力負荷軽減と業務効率化を図るというものである。これまで相談員は相談の記録を入力する際に、内容に応じたキーワードを付与していたが、相談員が件名、相談概要を入力すると、AIがそのテキスト情報から内容等キーワードの候補を表示してくれることで、相談員のキーワード付与に係る負担軽減が見込める。また、キーワード付与の"ばらつき"も軽減され、登録内容の精度も高まる。さらに登録処理の効率化により、登録日数の短縮にもつながり、また相談情報の迅速な検索や共有に貢献できるとしている。

　上記取組については、実証実験等による実現可能性を検証した上で、段階的な検討を行うとしているが、実際に国民生活センターは2022年1月末、ITベンチャーのI社と連携し、PIO‐NETの文書データをAIで分析する実証実験を開始している。7月までの約半年間、過去に蓄積したデータを活用し、表現や文脈を読み取らせた。この実験結果を新たなシステムの構築に生かし、2026年度までの実用化を目指している。

　またもう1点は、消費者トラブルの未然防止、被害拡大の抑止に向けて、PIO‐NETに蓄積された情報も活用しつつ、消費者が自己解決できるような

情報の提供を行うとしている。そしてここで「AI 技術を活用したチャットボット機能」など対話形式による情報を提供することで、若年層を中心に気軽に相談できる環境を提供し、若年層からの相談増加が期待されるとしている。

　以上のように、行政における消費者相談分野における AI 技術の活用は、やっと活用の途に就いたばかりという段階である。PIO‑NET はまさにビックデータであり、人によるデータ分析やマッチングには限界がある。私たちの生活におけるリスクを減少させるためにも、AI 技術の活用が必須となってきたと言っても過言ではないだろう。

5　おわりに

　私たちの生活における AI 技術の活用は、消費者相談の領域のみならず様々な分野において、今後の私たちの生活をより安全に、そして創造的で豊かなものにするためにも必要となっている。にもかかわらず、私たちはまだ AI を正しくは理解していない。筆者も学生たちと共に、生活の中で私たちを支えている AI 技術に目を向け学んでいきたいと改めて今、感じている。

注
1　本文中の図 1 ～ 4 の出典は、消費者庁「消費者のデジタル化への対応に関する検討会 第 2 回 AI ワーキンググループ（2020年 3 月16日）」の「資料 2 _消費者意識調査結果」。（https://www.caa.go.jp/policies/policy/consumer_policy/meeting_materials/assets/consumer_policy_cms101_20316_03.pdf）
2　https://www.caa.go.jp/policies/policy/consumer_policy/meeting_materials/review_meeting_004/ai_handbook.html
3　国民生活センター「国民生活センターについて」平成 31年 4 月、p.10

〔参考文献・資料〕
・ACAP 研究所グローバル・メディア情報研究会（2020）「AI 時代のお客様対応部門―組織としての役割の変化―」ACAP 研究所ジャーナル NO. 14, pp. 2-16

・消費者庁（2020）「消費者のデジタル化への対応に関する検討会 第2回 AI ワーキンググループ（2020年3月16日）資料2_消費者意識調査結果」

・独立行政法人国民生活センター（2018 年9月）「次期 PIO‐NET 刷新に向けて―PIO‐NET 刷新検討会報告書」

・独立行政法人国民生活センター（2019）「国民生活センターの業務と ODR」

・日本経済新聞電子版（2022年2月17日）「AI で悪質商法防げ　消費者庁、被害相談分析し迅速把握」

・橋口 京子（2020）「PIO‐NET の役割の変遷と地方消費者行政に関する一考察」消費者政策研究 Vol. 02, pp. 62-72

第4章　東南アジア諸国におけるデジタルサービスの各国比較

柳田　志学

1　はじめに

　2020年以降に世界中で猛威を振るった新型コロナウイルスは、人の移動を大きく制限させた。日本国内では都道府県の県境を越えることもままならず、海外では外出制限を余儀なくされる事態となった。その一方で、IT企業をはじめとするデジタルサービスに優位性を持つ企業は、グローバリゼーションを加速化させる契機となった。これまでDX（デジタル・トランスフォーメーション）とは無縁だった企業の現場では、デジタルツールが一気に浸透した。例えば外食サービス企業のサイゼリヤは、これまで現金中心の決済としていたが、2021年4月9日以降は全店舗で電子決済を導入することとなった（『株式会社サイゼリヤ News release』2021年4月30日）。筆者は2022年10月時点の日本国内において、現金を用いる機会が無い。現金に触れる唯一の機会は、大学の学食で食券を購入する時のみである。

　このように日本国内のビジネスにおいてDXが推進されているのは周知の事実だが、海外のデジタルサービスは一体どのような状況なのだろうか。日本は海外と比べてデジタル先進国なのだろうか。それともデジタル後進国なのだろうか。日本国内ではGAFAをはじめとした大手プラットフォーム企業が日常生活でかけがえのない存在となっており、決済手段はPayPayや交通系ICカードなどのデジタルサービスが主流である。しかし海外のデジタルサービスならびにDXの現状についてはほとんど知られていない。

　本稿では、東南アジア諸国のデジタルサービスにフォーカスするとともに、日本では知られていない東南アジア発の新興デジタルサービス企業が東南アジア諸国で躍進している事例を紹介する。さらに、筆者が東南アジア諸国において現地調査を行った際の知見を踏まえて、制度的視点から若干の言及を行う。

2　マクロデータから見る国内外のデジタル関連市場規模

　日本国内のデジタル関連市場については経済産業省（2022）をはじめとして様々な調査レポートが存在する。それでは海外におけるデジタル関連市場は一体どのような状況なのだろうか。ユーロモニターインターナショナルによると、世界のデジタル関連市場規模は2022年の時点で1,100兆円を超えている。各国別で見ると中国が357兆円と圧倒的な市場の大きさを示しており、日本は26兆円で米国（290兆円）の10分の1にも満たない。これは様々な要因が想定されるが、日本国内においてデジタル関連のビジネス環境が中国や米国と比較して整備されていないことが推察される。東南アジア諸国の市場規模を見ると、インドネシアは8兆4,000億円、タイが6兆7,236億円、シンガポールは2兆2,876億円、フィリピンが1兆9,426億円と市場規模は日本と比較してさほど大きいものではない（図表1）。

図表1　主要国・地域におけるデジタル関連消費の市場規模　（単位：百万円）

国・地域と年度	2014	2015	2016	2017	2018	2019	2020	2021	2022
世界	304,219,267.50	384,521,304.70	414,731,153.50	500,889,874.30	576,218,047.60	634,187,114.70	659,661,824.70	843,227,374.60	1,100,682,529.50
アジア太平洋地域	95,563,727.80	139,523,620.00	172,898,371.30	214,538,975.30	255,463,944.80	285,232,603.30	300,990,582.40	387,567,565.60	504,271,777.00
中　国	56,881,445.20	88,978,946.00	117,755,534.70	145,002,411.70	174,847,675.30	193,956,098.10	203,612,560.10	270,920,905.00	357,212,835.30
米　国	90,934,332.00	116,739,178.90	117,419,541.30	136,811,248.40	151,383,810.70	167,087,403.20	178,709,830.40	224,216,821.60	290,616,542.90
日　本	13,389,330.30	14,713,202.70	15,998,283.50	17,258,200.30	18,188,258.70	19,730,153.80	20,143,092.50	22,893,448.80	26,169,104.30
インドネシア	822,296.10	1,040,429.40	1,269,887.60	2,193,535.50	2,826,857.70	3,811,305.30	4,603,703.80	5,814,391.90	8,400,246.30
タ　イ	1,544,485.40	1,952,738.30	2,203,087.30	2,774,928.90	3,483,373.10	4,280,731.60	4,639,275.50	5,210,422.00	6,723,602.50
台　湾	3,200,473.50	3,921,098.60	3,731,420.60	4,446,653.00	4,802,800.60	5,023,839.00	4,307,550.00	4,810,924.80	6,129,419.70
香　港	1,471,968.60	1,879,072.00	1,867,082.20	2,145,240.20	2,354,081.40	2,587,647.40	2,187,348.70	2,525,241.90	3,207,911.20
シンガポール	1,096,692.60	1,251,722.40	1,264,408.40	1,308,946.10	1,457,314.90	1,550,228.00	1,392,114.00	1,720,868.10	2,287,657.60
フィリピン	438,469.30	611,042.40	642,355.80	772,888.90	902,631.00	1,119,740.30	961,988.50	1,277,508.00	1,942,658.70

出典　ユーロモニターインターナショナルより著者作成

　ここで特筆すべき点は、各国別に見たデジタル関連市場の成長率である（図表２）。驚くことに東南アジア４カ国のうち最も市場規模が小さいフィリピンが最大の成長率を示している。すなわちフィリピン国内ではデジタル化が加速しており、今後はさらなる市場の成長が予想される。2020年以降の新型コロナ禍により成長率は一時的に停滞ないし低下しているが、それ以降、東南アジア４カ国はいずれも急速な成長を遂げている。その一方で、日本はさほど大きな成長を見せていないことが分かる。

　なぜ東南アジアでは、これほどデジタル関連市場の成長が目覚ましいのだろうか。一体どのような企業が事業を展開しているのだろうか。そこで次節では、日本国内では事業を展開しておらず、東南アジア諸国では人々の日常生活に根ざしているデジタルサービスの事例について取り上げる。

図表２　アジア各国・地域におけるデジタル関連消費の成長率（％）

国・地域と前年比	2014 - 2015	2015 - 2016	2016 - 2017	2017 - 2018	2018 - 2019	2019 - 2020	2020 - 2021	2021 - 2022
フィリピン	39.4	5.1	20.3	16.8	24.1	-14.1	32.8	52.1
インドネシア	26.5	22.1	72.7	28.9	34.8	20.8	26.3	44.5
シンガポール	14.1	1.0	3.5	11.3	6.4	-10.2	23.6	32.9
タイ	26.4	12.8	26.0	25.5	22.9	8.4	12.3	29.0
台湾	22.5	-4.8	19.2	8.0	4.6	-14.3	11.7	27.4
香港	27.7	-0.6	14.9	9.7	9.9	-15.5	15.4	27.0
韓国	23.7	-4.5	45.2	16.3	9.5	16.3	30.7	22.5
日本	9.9	8.7	7.9	5.4	8.5	2.1	13.7	14.3

出典　ユーロモニターインターナショナルより著者作成

3　東南アジアのタクシー事情と情報の非対称性

　海外と日本では提供されるサービスが大きく異なるが、日本国内に住んでいると、そのことに気づかない。ここではデジタルツールが既存のサービスの利便性を劇的に改善した事例として、タクシー（配車サービス）について取り上げる。

　日本の街中を走っているタクシーは、じつは極めて利便性の良い交通手段

である。例えば乗客が手を上げると、タクシーは空車の場合、すぐに止まってくれる。日本国内のタクシーはメーター制度を導入しているため、どのタクシーに乗っても支払金額はほぼ同一となっており、乗客の支払いでトラブルが生じることはほとんどない。また、乗客はドライバーに行き先を告げるだけで、ほぼ確実にその場所へと向かって走ってくれる。運転手は渋滞を回避しながら、細道を熟知して迂回ルートを通ることもある。さらに日本国内のタクシーは、乗客が快適に乗車できるように車内を清潔にするなど、様々なサービスを提供している。

　このように日本国内では常識とされているタクシーのサービスだが、東南アジアの実情は全く異なる。例えばタイやフィリピンのタクシーはメーター制だが、タクシーに乗車してもメーターを作動させず、乗車後にドライバーが法外な料金を要求するトラブルが生じる。ここでは乗客がメーターを作動させているかどうかを確認していないことに原因がある。さらに目的地が近い場合はドライバーが乗車拒否をすることも頻繁にある。筆者は2018年にバンコクでタクシーを利用した際、目を疑うような光景に遭遇した（図表3）。乗り込んだタクシーが程なくすると路肩に停車したのである。一体何が起きたのかと驚いていると、ドライバーは突然、車外に出て行った。なんとそのドライバーは屋台で焼き鳥を購入して戻ってきたのである。さらにその焼き鳥を食べながら運転し始めた。乗客がいるのに飲食をするなど、およそ日本のタクシーでは考えられない光景である。また、フィリピンのタクシーは地元のフィリピン人からも悪評で、首都マニラでは、外見が中華系という理由で「外国人」だと勘違いされ、ドライバーから通常の運賃よりも高い料金を要求されるそうである。筆者は2013年にマニラの空港へと向かうタクシーに乗車した際、驚くような光景を目にした。タクシーのドライバーがメーターを隠すようにハンドタオルを置いていたのである（図表4）。そして運転手はしきりに日本人なのか、いつ来たのか、フィリピンは初めてなのか、などと親しげに話しかけてきた。おそらく筆者がフィリピンのタクシー事情を知っているかどうかを確認したかったのだろう。そして空港に到着したところ、運転手は「500ペソ」を要求してきた。しかし筆者はハンドタオルで隠されているメーターを見せるように伝えたところ、タクシーのメーターは「106」

と表示されていた。そのことを指摘したところ「高速道路に乗ったから300ペソだ」と言い張った（実際は高速道路代を含めたとしても合計200ペソ程度で済む）。にわかに信じがたい話だが、ここでは日本の常識など全く通用しない。そして、この現状はフィリピンだけではない。東南アジア諸国のタクシーはどこの国においても同様の現状であり、あの手この手で乗客から運賃を奪い取ろうとする。さらにミャンマーのタクシーに至っては「交渉制」である。そもそも首都ヤンゴンのタクシーにはメーターがなく、乗客はドライバーにその都度、目的地を告げて運賃の交渉をしなければならない。双方が納得し

たうえでタクシーを利用するという極めて非効率な（取引コストがかかる）状況が続いていた（図表5）。ここでミャンマー語はおろか英語も話せない外国人は交渉すらままならず、タクシーの相場も分からないため高額な運賃を提示されても鵜呑みにせざるを得ない。この状況はまさに「情報の非対称性」（市場で取引される商品やサービスにおいて、売り手と買い手の間で情報の格差がある状態）であり、東南アジアでは現地語を話すことのできない外国人駐在員や海外生活に慣れていない旅行者はかなり高い確率でタクシーの「ぼったくり」に遭うことを覚悟しなければならなかった。さらに2010年代以降のヤンゴンでは外国人が急増しており、タクシーのドライバーも外国人と交

図表3 バンコクのタクシー 乗車後、タクシーのドライバーが突然降りて屋台の焼き鳥を買いに行った。
出典 著者撮影（2018年8月22日）

図表4 フィリピンのマニラにて空港に向かうタクシー内 メーターをハンドタオルで隠して表示された運賃よりも高い価格を要求してきた。
出典 著者撮影（2013年9月24日）

渉した方が稼ぐことができるため、運賃の相場が上がってしまった。その結果、これまでタクシーを利用していた地元のミャンマー人が乗車拒否をされたり、運賃の高騰で気軽に乗車できないという事態が生じた。このようにタクシーのサービスが制度化されていない東南アジア諸国は、日本国内では考えられない様々な課題を抱えていたのである。

図表5　ミャンマーの首都ヤンゴンを走るタクシー　日本の中古車が再利用されており、タクシーによって車内の清潔さが大きく異なる。メーターがなく運賃は交渉制。

出典　著者撮影（2013年12月27日）

4　配車アプリサービスの現状と多角化事業

　この東南アジア諸国のタクシー事情を劇的に改善させたのが、デジタルツールによる配車アプリサービスである。最も有名な企業は2010年に創業したUber（ウーバー）であろう。日本国内では「ウーバーイーツ」として馴染み深いサービスだが、じつは同社が配車アプリを主力事業としてグローバル事業展開を図っていたことを知らない日本人は多い。というのも、Uberは2015年に日本国内での実験的な事業の中止を余儀なくされたからである。また、同社は2014年頃からタイをはじめとした東南アジア諸国にいち早く進出したものの、地場の新興企業との競争に負ける形で2018年には撤退している。

　そのウーバーを東南アジアからの撤退に追い込み、配車アプリサービス事業を譲り受けたのがGrab（グラブ）である。グラブはハーバードビジネススクールで同級生だったアンソニー・タンとタン・フイリンの2人がシンガポールを拠点として2012年に創業した、東南アジア発の新興企業である。同社の躍進は目覚しいものがあった。たったの10年でユニコーン（企業価値が10億ドル以上の未上場企業）と呼ばれる業界最大手の企業として成長したのである。さらに同社は配車アプリと外食デリバリーサービスを主軸としている

が、それ以外にも融資、保険、資産管理、遠隔医療などの事業へと多角化しており、それらのコンテンツを一つのプラットフォームへと集約した「スーパーアプリ」としてサービスを提供している。ウーバーが世界190カ国（10,000以上の都市）で事業展開を行っているのに対して、グラブは東南アジア８カ国（カンボジア、インドネシア、マレーシア、ミャンマー、フィリピン、シンガポール、タイ、ベトナム）と限定的ではあるが、480を超える都市において事業を展開し、2021年12月に米株式市場へ上場した。2020年２月、三菱 UFJ 銀行はグラブへの出資を行うことを表明しており、日本企業も同社の提供する金融サービスなどに強い関心を抱いている。東南アジアでは同社の他にもインドネシアを拠点とする配車アプリ「ゴジェック」で知られている Go To（ゴートゥー）が頭角を現しており、東南アジア諸国では金融サービス（モバイル決済）市場が急速に拡大している。この現状が前節で言及したデジタル関連消費の成長に繋がっているものと推察される。

5　配車アプリで東南アジア諸国はどのように変わったのか

前節のように、グラブをはじめとした配車アプリは東南アジア諸国に劇的な変化をもたらした。この配車アプリは一体どのようなシステムを導入し、東南アジア諸国のタクシー事情をどのように変えたのだろうか。ここではグラブの具体的なサービスについて紹介するとともに、各国の利用状況と現状について言及する。

グラブの利用方法は極めてシンプルである。まずは目的地を設定する。建物などの名称を指定するか、あるいは目的地に直接ピンを立てる。すると運賃、利用したい乗り物（バイク、車など）、現在地までの到着時刻、目的地までのルートなどが表示される（図表６）。2022年時点でグラブが提供するアプリに日本語の表記はないが、英語表記で直感的に操作できる。問題なければ配車を依頼し、あとはタクシーの到着時刻を確認しながら待機しておき、当該タクシーが到着したら乗り込む（図表７）[1]。ドライバーは乗客の氏名を確認し、スマートフォンに表示されている指示に従って目的地まで送り届けるだけである。このシステムとほぼ同様のアプリが日本国内においても「Go」という名称で利用されている。このアプリは DeNA 傘下の株式会社

Mobility Technologies が提供するサービスで、利用したことのある人がいるかもしれない。ただし日本の Go は「BtoC」のデジタルツールとして用いられているのに対し、グラブは「CtoC」のビジネスが主体である。

　この配車アプリは次のような点で大きな変化をもたらした。1つ目は「ぼったくり」のトラブルが解消された点である。グラブのアプリは既にユーザーの目的地と運賃が事前に表示されており、ドライバーはそのことを把握している。さらにユーザーはクレジットカードを登録しておくことで、乗車後は自動的に運賃が引き落とされる。そのためユーザーは現金（現地通貨）を手元に用意する必要がなく、ドライバーは表示金額以上の運賃を要求することはない。2つ目はユーザーの評価によりドライバーのサービス全体が洗練されるという点である。ユーザーは乗車後に5段階評価で星をつける。仮にドライバーのサービスが悪い場合、星を1つにすることもできる。ドライバーは自らの評価が下がることは死活問題となるため、必死になってサービス向上へと努める。その結果として劣悪なサービスは排除され、優良なドライバーのみ残るという市場原理が働く。3つ目はサービスの国際化において障壁となる「言語の壁」を越えたという点である。本来、サービスには同時性（生産と消費が同時に生じる）という特性があり、サービスを享受するためには従業員と顧客との直接のコミュニケーションが不可欠である。そのため両者の言葉が通じない場合、サービスを享受することが困難となる。しかし、グラブはデジタルツールを駆使することで、この障壁を越えることに成功した。すなわち現地語を話すことのできない外国人はグラブのアプリを用いることで、ドライバーと一言も言葉を交わすことなく目的地に到着できるのである。これ以外にも近距離で利用できる、乗車拒否に遭わない、いわゆる流しのタクシーが捕まらない場合はタクシーを確実に呼ぶことができる、などユーザーにとって数多くの利便性をもたらした。

　また、このデジタルツールはユーザーにとって利便性をもたらしただけではない。ドライバー側にも様々な恩恵をもたらした。1つ目は素人のドライバーでもサービスが提供できるという点である。例えば大通りで渋滞に巻き込まれた場合、ドライバーは渋滞を回避するため裏路地などを熟知していなければならない。しかしグラブのアプリは AI により渋滞をある程度予測で

きるため、アプリが指示する通りに車やバイクを走らせるだけで良い。2つ目は雇用環境の改善である。筆者は2012年にインドネシアの首都ジャカルタを訪問した際、街中を歩いていると頻繁に「タクシーに乗らないか」とドライバーが声をかけてくるため辟易した経験がある。当時は明らかにタクシーの供給過多であり、需給バランスが崩れていると感じていた。しかしその状況は2018年頃から一変した。2022年8月にジャカルタを訪問した際、現地ではグラブあるいはゴジェックのドライバーであることを示す緑色のユニフォームを着た人々が街中でユーザーからの呼び出しを待っていた（図表8）。東南アジア諸国では雨季があり、頻繁にスコールが生じる。ドライバーはかつてのように雨の中を客引きのために走らせる必要はない。また、インドネシアでは若年層の人口が多いため、CtoC のビジネスは国内の雇用創出へと繋がる。3つ目は交渉のストレスが一切ないという点である。筆者は2017年にミャンマーで配車アプリ（撤退前のウーバー）を利用した際、英語を話すことのできるドライバー数名から話を聞くことができた。ミャンマーの

図表6　グラブの配車アプリ画面

出典　著者撮影（2022年8月18日）

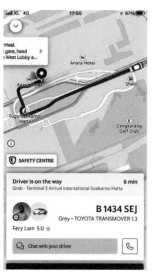

図表7　グラブの配車アプリ画面　全て英語表記だが、ドライバーの評価や到着時刻などの詳細が分かる。自分が待機している場所の写真など、相手に伝えたいメッセージを送ることもできる。

出典　著者撮影（2022年8月13日）

ようにタクシーが交渉制の場合、ドライバーは毎回のように乗客と運賃の交渉をしなければならない。ドライバーも人間であり、この交渉は極めてストレスであったという。ウーバーのドライバーは当時、ウーバー側に手数料を25％支払わなければならず、その手数料の高さに不満を抱いていた。しかし乗客と交渉する必要が無くなるのならば、高い手数料を支払うのもやむを得ないとのことだった。このようにデジタル化がもたらした恩恵は計り知れないものがあり、配車アプリはたったの10年足らずで東南アジア諸国へと瞬く間に浸透したのである。

図表8　スマートフォンで配車の呼び出しを待つグラブバイクのドライバー

出典　著者撮影（2022年8月16日）

6　デジタルサービスの国際化と制度の関係性

　ここで東南アジア諸国に見られる配車サービスの実情について言及しておきたい。それは各国の文化や制度に合わせグラブは市場参入の戦略を柔軟に変えている、という点である。例えばインドネシア人は雨季やラマダン（イスラム教徒が行う約1ヶ月の断食期間）の時期はできるだけ外出しないようにしている。そのため近距離でも配車アプリを利用したり、クラブフードのようなフードデリバリーサービスを用いている。また、筆者はタイのバンコクを訪問する際、都心部の移動手段はグラブバイクを利用することが多い。なぜなら通常のタクシーの場合、交通渋滞に巻き込まれて身動きが取れなくなるからである。バイクタクシーであれば新交通システム（BTS）や地下鉄（MRT）を用いることなく、直接目的地へと到着できる。ところがバンコクのグラブバイクは、インドネシアのような緑色のジャケットを着ているドライバーがほとんど見られない。というのも、バンコクでは既存のバイクタクシーが存在しており、グラブの台頭を歓迎していないという実情がある。グラブのようなCtoCのビジネスは、タイ国内の既存のタクシー業界にとって脅威であ

り、自分たちの顧客を奪われかねないと警戒されている。そのため筆者が配車アプリを用いた際、目の前に現れたバイクは通常のバイクと何ら変わらず、一見するとグラブバイクだと判別できない状況であった。2020年に生じた新型コロナ禍以降はバンコクでもグラブフード（フードデリバリー）を利用するユーザーが急増したため、ドライバーは日本のウーバーイーツのように緑色のバッグを用いてバイクで配送している。しかし人を輸送するグラブバイクは2022年8月の訪問時においても目立たないように活動していた。

　また、フィリピンにおいては、グラブバイクはほとんど存在していない。これはフィリピン国内の交通事情や政府の規制によるところが大きい。ドライバーは普通の乗用車を用いていることもあるが、既存のタクシーがグラブのアプリを用いていることもある。この点を踏まえると、フィリピン国内ではグラブと既存のタクシー業界は競合関係ではなく補完関係にあると考えて良いだろう。このようにグラブは東南アジア諸国の様々な制度的背景に合わせて事業を展開しており、既存のタクシー業界と折り合いをつけながら柔軟

図表9　バンコク市内の様子　タイではバイクタクシーとグラブバイクが競合関係にあるため、一見するとグラブバイクだと分からないように活動している。

出典　著者撮影（2022年8月25日）

に適応していることが分かる。

7　おわりに

　本稿は、デジタルサービスの国際化についてマクロデータに基づいて現状を把握した。さらに東南アジア諸国で急成長を遂げている配車サービス企業のグラブに着目し、各国の制度をいかに汲み取りながら事業を展開しているのかについて、現地の動向を踏まえて若干の考察を行った。グラブは2012年に創設されて10年足らずの企業であり、その歴史は浅い。主軸となる配車サービスやフードデリバリー事業は地場のライバル企業によって顧客を奪われる可能性があり、今後は金融サービスをはじめとした事業の多角化で安定した収益を得ることが見込まれる。この現状について日本の企業はビジネスチャンスであると捉えており、例えば日本国内で利用されている配車アプリの Go はグラブの重要性を認識した上で、2022年7月にグラブとの提携を発表した。その目的は、インバウンド（訪日外国人客）の来日を想定して、グラブのアプリが日本国内でも利用できるようにするというものである。このようにデジタルサービスは事業のスピードが早く、東南アジア諸国では事業の早期撤退など目まぐるしくビジネスの動向が変化する。そのため学術的な視点から研究を行うことは難しい。このような現状において、今後は国際ビジネス研究の中でも各国の文化的背景や政府の政策[2]、制度的な側面など、様々な視点からの研究が求められる[3]。

注

1　グラブタクシーを利用する際、いくつか注意が必要となる。1つ目は、稀にクラブの地図情報（現在地）が正しく表示されない、という点である。Google マップも同様だが、グラブの地図も100％正確というわけではない。つまり自分がどの場所におり、どの方角に向かうべきなのかを感覚的にわかっていないと誤った場所にタクシーを呼んでしまう可能性がある。2つ目は、グラブタクシーと落ち合う場所である。一方通行の大通りや、似たような細道のある場所で呼び出す道を一本間違えた場合、グラブのドライバーと落ち合うことができなくなる（予定していた場所にユーザーがいない場合はグラブのドライバーから電話がかかってくるので、多少の

トラブルは回避することができる。ただし現地語での会話が求められる）。それは CtoC のビジネスならではの特性だが、さながら究極のマッチングアプリの様相を 呈している。

2　各国がこれまで行ってきた新型コロナに関する政府の政策について考える必要が ある。日本は2022年9月まで外国人の入国規制について厳しい措置を取ってきた が、時を同じくして東南アジア諸国では着実に開国に向けた施策が行われてきた。 とりわけタイ政府は早い段階から外国人を受け入れており、2021年半ばから段階的 に規制を緩和している。そして2022年10月より、新型コロナウイルス対策の入国規 制を完全撤廃した。具体的には新型コロナに感染した場合も無症状ないし軽症であ れば外出を認めている（『日本経済新聞』2022年10月1日）。遅まきながら日本も2022 年10月11日以降、訪日外国人の入国規制を大幅に緩和したが、東南アジア諸国と比 較して経済回復には程遠い現状がある。さらに日本人は円安と物価上昇も相まって 海外へ渡航する機会を逸しており、未だに国際化とは言えない状況が続いている。 このように日本では新たな施策に着手するタイミングが東南アジア諸国と比較して 明らかに遅い。そのため海外のデジタル関連企業が日本国内で事業展開を試みた場 合、様々な規制に阻まれて進出を断念するケースが後を絶たない。本来ならば自由 競争のもと、顧客にとって望ましいデジタル関連ツールが国内に普及することが健 全だが、未だに鎖国のような状況が続いている。この政府の規制については日本国 内で生活する全ての人々が考えるべき課題であろう。

3　各国を直接訪問して現地調査を行うことが求められる。この地域研究（アジア研 究）の研究手法について、末廣（2014）は次の3点が重要であると述べている（pp. 220-221）。

①アジア諸国・地域、あるいは特定の国を、政治、経済、社会、文化などに切り分 けて分析するのではなく、「丸ごと理解する」努力を行うこと。

②統計や文献だけではなく、自分の目と足を使い、対話を通して相手の実態を理解 すること。

③既存のアジア経済論に満足せず、変動を続けるアジアの現実に密着し、これを理 解するための新しい枠組みを提供する、そうしたチャレンジ精神を持つこと。

　以上の3点は筆者のこれまでの研究活動の原点となっており、本稿においても末 廣の研究に依拠した研究手法を踏襲している。とりわけ無形財を取り扱うデジタ

ルサービスにおいて、自らその現場に立ち、ビジネスのダイナミズムを包括的に
理解する姿勢は不可欠である。

〔参考文献〕

Global Market Information Database（GMID）：Euromonitor International

経済産業省（2022年8月）「令和3年度電子商取引に関する市場調査報告書」<https://
www.meti.go.jp/press/2022/08/20220812005/20220812005-h.pdf>（2022年11月20日
閲覧）

日本経済新聞電子版（2015年3月6日）「ライドシェア検証実験中止　米ウーバー、国
交省指導受け」<https://www.nikkei.com/article/DGXLASDG06H5S_W5A300C1
CR8000/>（2022年11月20日閲覧）

日本経済新聞電子版（2018年3月25日）「ウーバーが東南アジア撤退へ　同業へ事業売
却、米報道」<https://www.nikkei.com/article/DGXMZO28557940V20C18A3TJC
000/>（2022年11月20日閲覧）

日本経済新聞電子版（2020年2月25日）「三菱UFJ銀行、グラブへの出資発表　アプ
リ技術活用」<https://www.nikkei.com/article/DGXMZO56023960V20C20A2EE
9000/>（2022年11月20日閲覧）

日本経済新聞電子版（2022年7月7日）「配車アプリ「GO」、グラブと連携　訪日客の
利用可能に」<https://www.nikkei.com/article/DGXZQOUC307QW0Q2A630
C2000000/>（2022年11月20日閲覧）

日本経済新聞電子版（2022年8月24日）「グラブとコカ・コーラ提携　東南アジア6カ
国で販売促進」<https://www.nikkei.com/article/DGXZQOGM246P60U2A820C
2000000/>（2022年11月20日閲覧）

日本経済新聞電子版（2022年10月5日）「グラブ、黒字化へサブスク　配車・宅配で優
良顧客確保」<https://www.nikkei.com/article/DGXZQOGM023ZB0S2A001C2000
000/>（2022年11月20日閲覧）

日経ビジネス電子版（2022年6月9日）「企業価値1兆円超のゴジェック『インドネシ
アの誇り』に」<https://business.nikkei.com/atcl/gen/19/00462/060300002/>（2022
年11月20日閲覧）

NNA POWER ASIA（2022年8月10日）「バイク配車アプリ、運輸相通達で新運賃規

定」<https://www.nna.jp/news/2375453>（2022年11月20日閲覧）
太田正孝（2008）『多国籍企業と異文化マネジメント』同文館出版
末廣昭（2014）『新興アジア経済論─キャッチアップを超えて』岩波書店

<謝辞>

　本稿は目白大学『科研費申請のための学内助成（2022年度）』の支援を受けたものである。この場を借りて御礼を申し上げる。

第5章　メディア内容分析における　　　　データサイエンス手法の活用
―コンピュータ・アルゴリズム、AI・機械学習、ビッグデータ―

内田　康人

1　はじめに

　卒業研究やゼミ研究で、以下のような「問い」を明らかにしたいとき、どのような研究手法が考えられるだろうか。

①若者は紙の新聞を見なくなり、ネットやスマホでニュースを見ているが、伝えられるニュースに両者で違いはないのだろうか。あるとしたら、どのような違いがみられるだろうか。

②美容整形（プチ整形）を受けた人、あるいは電話悩み相談（「いのちの電話」など）の利用者は、どのような感想や意見を持っているだろうか。

③映画やドラマでの女性の描かれ方はどのように変遷してきたか。それは社会における女性像やジェンダーのあり方、ライフイベント（結婚、出産など）で直面する困難・葛藤の実情とその変化をどう反映しているだろうか。

　上記はすべて、ゼミの学生による卒業研究での取り組みの実例である。いずれも研究方法として、メディアの「内容分析 Contents Analysis」という手法を活用している。①は、ニュースとして伝えられる内容の実態と特徴を明らかにしようとするもの。②は、メディアの内容から、あるトピックに関する現状や人々の意見・感情を探ろうとするものである。インタビュー調査を実施するのが理想であるが、それが困難な場合の代替手法として、Twitter 上の声を集約・分析している。③は、メディアコンテンツ上で描かれる内容の変遷から、それらに反映された社会のありようの変化をとらえようとするものである。

　以上のとおり、内容分析という手法は、多様な研究テーマや問題意識、メディアとそのコンテンツに対応できる。内容分析には、メディア内容を調査

者の視点や問題意識から読解・解釈する定性的分析と、ルールにもとづいて数値化・分析する定量的分析があり、両方を組み合わせる混合手法がとられることもある。また、研究目的と進め方によっては、一つの分析で研究として成り立つこともあれば、複数の内容分析を実施するケース、他の手法（インタビュー、アンケート、心理実験など）と組み合わされることもある。

社会情報学における研究との関わり

　この内容分析には長い歴史と伝統があり、コミュニケーション研究やジャーナリズム研究、社会学、心理学、ビジネスなどの分野で活用されてきた（Neuendorf、2017）。社会情報学という学際的な学問領域においても、重要な研究手法の一つと考えられる。社会情報学では、社会における関係性にもとづき、対面／メディアを介してなされるコミュニケーションや相互作用、やりとりされる社会情報やメッセージが主たる研究対象となる。それらの社会情報やメッセージの内容を直接分析しようとするのが内容分析である。

　メディア研究においては、新聞・雑誌記事や書籍などの印刷媒体、映画、テレビ・ラジオの放送番組といったマスメディアにくわえ、コンピュータやゲームなど電子メディアやウェブページ、ソーシャルメディア（SNS、ブログ、ネット掲示板など）の投稿内容が主な分析対象となる。また、こうした狭義のメディアコンテンツにとどまらず、より広義のメディアや多様な社会情報、各種文献・資料やウェブ情報なども内容分析の対象となりうる。例えば、政府・行政機関・NPO などの組織やサークル・ボランティアといった集団の内外で記録・記述されやりとりされる文書、企業等の広報や広告、日常の会話の記録など多岐にわたる。さらには、社会調査における、インタビューの聞き取り内容やアンケートの自由記述なども分析することができる。

　このように、内容分析は社会科学の多くの学問領域をまたいで、多様な社会情報やメディア上のコンテンツ、メッセージ、各種文書・資料などに幅広く活用でき、社会情報学にふさわしい学際的な研究手法と言えるだろう。

本章の内容―内容分析におけるデータサイエンス手法の導入・活用

　内容分析は、この10数年ほどで顕著な進展を遂げ、注目を集めてきた。その背景には、コンピュータ・自然言語処理・AI 技術など情報科学・計算科学の発展があり、それらの成果が人文・社会科学に導入されることで、各分

野の研究においてコンピュータ化・AI 化やビッグデータ化が進展している。その結果、計算言語学、デジタル人文学、計算社会科学といった新たな領域が誕生し（Grimmer et. al. 2022）、内容分析（テキスト分析）の方法論、特に分析タイプにおいて、多くの学際的な融合が進んできた（Neuendorf 2017）。

　「メディア内容分析」は、社会科学、特に社会学的なメディア研究の流れを汲むものの、データサイエンス手法の導入によって多様な学問領域との関わりを増しており、技術的な進展も顕著である。そのため、学問分野によって用語や技術の使用状況も、手法に対する考え方・立場も異なり、また研究者間で用語の用法や解釈に違いも見られることから、混沌としてわかりづらい状況がある。また、海外では多分野からの学際的なアプローチが活発に進んでいるものの、国内の「メディア内容分析」という文脈では、書籍、論文、ウェブ等での情報提供がいまだ少なく、研究が盛んであるとは言い難い。

　そこで本章では、「メディア内容分析」とはそもそもどのようなものか、その概念や特徴、手続き、課題について概要を説明する。そのうえで、なぜデータサイエンス手法の導入が進んでおり、またその必要があるのか、それらはどのような手法であり、いかなる論点や課題があるのか、主に海外の標準的なテキストや主要論文をもとに取りまとめ、解説していく。

2　内容分析の概要

（1）内容分析とは

　新聞やラジオ、映画、テレビといったマスメディアの普及につれて、それらのメッセージを分析しようとする多様な取り組みが蓄積、発展してきた。Berelson（1952）は、それらを「内容分析 content analysis」という新しい用語のもとに理論化・体系化し、「明示的なコミュニケーション内容を客観的、体系的、定量的に記述する研究技法」と定義した。これに対し Krippendorff（2018）は、「テキストから、それらが使用される文脈について再現可能かつ妥当な推論をおこなう研究手法」という定義を提起し、「再現性」と「妥当性」を強調した。これは、「明示的」、「定量的」という限定を外すことで、解釈の多様性と定性的な分析にも開かれた定義となっている。Neuendorf（2017）も定性的な分析を含めた理解をしており、内容分析が科学的手法の基準を満

たすために、「客観性－間主観性」、「事前設計」、「信頼性」、「妥当性」、「一般化可能性」、「再現性」、「理論に基づく仮説検証」への配慮を求めた。一方でRiffeら（2019）は、定量的な内容分析に限定した定義[1]を示し、その要件として「体系性」、「再現性」、「コミュニケーションのシンボル」、「妥当な測定ルールと関係の統計的分析による数値またはカテゴリ」、「記述と推論」を挙げている。

　以上から、内容分析の要件として、「体系性」、「間主観性（客観性）」、「信頼性」、「妥当性」「再現性」の5つが重要であることがわかる。簡潔に説明すると、「体系性」とは、内容分析のすべての段階で、計画に従って一貫して進行することである。すなわち、現象の説明、仮定、推論において、体系的な測定と検証の手順に従う必要がある。次の「間主観性」は、「客観性」を認識論的に適切な表現に置き換えている。内容分析のあらゆる段階で第三者が理解可能、検証可能であるべきで、研究の手法や結果に個人的な見解や信念が影響すべきではない。そして「信頼性」とは、コンテンツの測定、つまり数値へのコーディングにおけるバイアスやズレの少なさを意味する。一人のコーダ内および複数のコーダ間でのブレやズレを減らし、コーディングの安定性・再現性・正確性を確保するために、適切なコーディングルールやマニュアルの策定、コーダのトレーニング、信頼性の評価・検証が求められる。さらに「妥当性」として、定義された概念とカテゴリ、それらの測定方法がコミュニケーションの実態を適切に反映していること（表面的妥当性）、概念の測定にふさわしい尺度や測定方法が用意され、問いを適切に明らかにできること（内的妥当性）が重要である。最後に「再現性」として、他の研究者が同じ分析や操作を繰り返し再現でき、その手続きと結果の妥当性を評価・検証できる必要がある。研究上の定義づけや操作として行ったことは、読者が正確に理解できるよう適切かつ十分に報告することが求められる。

内容分析の特徴・メリット

　このような内容分析は、研究手法としていかなる特徴を持ち、それを利用することでどのようなメリットがあるのだろうか。Krippendorff（2018）とRiffeら（2019）から、主なものを以下の4つに整理できる。まず、内容分析はコミュニケーションそのものを分析対象とし、対象者に直接介入・関与し

ない。そのため、研究者が対象者に影響を及ぼし、測定結果がゆがめられる「観察者効果」を回避できる。次に、メディアコンテンツや自由記述のような構造化されていない素材もデータとして取り扱うことができる。それらを数値化することで、定量的な分析も可能である。また、研究素材となるコンテンツは、適切に記録・保存されれば、長期にわたるアーカイブが可能なため、それらの活用により、長期的・縦断的・遡及的な分析を行うこともできる。さらに、定性的な分析では綿密な読み込みが必要なため取り扱う素材数も限られる一方で、定量的な内容分析ではより多くのコンテンツを取り扱うことができる。その際、よく練られた手続きが適切に運用されれば、コンテンツの重要な特徴をある程度保持したまま測定することも可能である。

（2）内容分析の手続き

　では、内容分析は、具体的にどのような手続きをとるのだろうか。その分析プロセスは、表1のとおり、大きく4つの段階を経て進められる。

①企画・発見

　最初は、研究プロジェクトを計画し、全体的な構成を作り上げていく段階である。まず、どのような分析を行うのか研究内容を明らかにし、研究課題を特定する。そして、なぜその分析を行うのか、研究を支える観点や既存の理論・分析等から根拠づける必要がある。さらに、解明したい具体的な問いと仮説を構成する。そのうえで、研究上どのような変数が必要か、概念的にどう定義するかという概念化が進められる。

②設計・開発

　続いて、研究を具体的にデザインし、「測定」に向けた準備を進めていく。①の概念化をもとに、測定の目的、つまり最終的な到達目標への方向性を明確にし、適切な測定手続きを具体的に構成していく。そもそ

表1　内容分析のプロセス

1 企画・発見
1-1 理論と根拠
1-2 概念化
2 設計・開発
2-1 サンプリング，データ収集
2-2 分析単位の設定
2-3 コーディングルール・カテゴリの構成，コードブックの作成
2-4 コーダトレーニング
3 データ生成
3-1 測定：コーディング／記録
3-2 データ化（データの加工・削減）
4 分析
4-1 分析手法の適用
4-2 結果の解釈・推論と報告準備

も測定とは、「信頼できる妥当な方法で、コンテンツの単位に数値を割り当てること」(Riffe et. al. 2019) である。すなわち、分析対象としてのコンテンツを選んだうえで、測定に向けて分析単位を設定し、それらに数値を割り当てるコーディングのルールを作成していく準備が必要となり、その際は信頼性と妥当性が求められてくる。以下、「分析対象となるコンテンツの選択・収集」、「分析単位の設定」、「コーディングのルール・カテゴリの策定」の順に説明する。

　まず、分析の対象としてふさわしいメディアコンテンツの母集団を、研究目的との適合性、入手可能性、分析の可用性といった観点から慎重に選択する。これにより、研究課題に沿って、研究対象をどの程度の広さ（時間、空間、内容）で定義するかが決定される。次に、定義された母集団に対して全数調査が可能か、その一部であるサンプルを用いるかの判断が求められる。後者の場合はサンプリングを行い、分析対象を統計的・概念的に母集団を代表するサンプルに限定していく。

　また、測定に先立ち、分析の単位を設定する必要がある。「分析単位」とは、「理論的に関心がある1つかそれ以上の変数を定義し、観察できるように分割されたコンテンツ」(Riffe et. al. 2019) である。これは、内容分析が可能な最小単位であり、コーディングが行われる水準の一つとなる。分析対象となる文書、画像、映像などは未分化なテキストの連続体であるため、「分析に必要なものを体系的に区別し、無関係なものを省き、意味を保った最小単位に分けてまとめておく」(Krippendorff 2018) 作業が必要になる。

　さらに、コンテンツを観察し、カテゴリや変数に分類する方法を定義する。この定義は、研究目的にもとづいて観察対象のコンテンツを理論的・概念的な変数（肯定的−否定的など）に置き換えるものであり、これらを集約することで分類体系が構築される。カテゴリの選択と構成においては、研究目的が理論的に反映されている「測定の内的妥当性」とともに、「網羅性・相互排他性」と「独立性」を満たし、また単一の分類原理に由来している必要がある (Riffe et. al. 2019)。これらをもとに、コーディングの際に統一的に従うべきルールと、測定値がすべて記述されたコーディングスキームが構成され、コードブックとして集約される。コードブックはプレテストなどで検証

され、完成度が高められる。複数名がコーディングする場合は、コーディングトレーニングと、コーダ間の信頼性を確認する信頼性テストが行われる。

③データ生成

　いよいよ②での準備をもとに、実際に測定が行われる。すなわち、対象として選定されたコンテンツを、分析単位ごとに観察し、コーディングルールに則って測定結果を記録していく。こうして、非構造的なメディアコンテンツが分析に適した形式に構造化される。その際、研究者は、コーダと定期的に接触し、コーディングの「コーダ内信頼性」を継続的にチェックことが望ましい。測定後には、「コーダ間信頼性」にくわえ、理論的に関心のある事項が実際に測定されているか「妥当性」もチェックされる。

　コーディング結果は、分析・管理しやすい形にとりまとめる必要がある。定量的な統計分析を行う場合は、デジタル形式に「データ化」されるとともに、不要部分を削除する「データ削減」も行われる。

④分　析

　③で構造化されたデータに対し適切な手法を用いて分析を進め、その結果を解釈・推論したうえで、報告に向けて記述・表現していく。定量分析を行う場合は、目的に応じて統計的手法が選択・適用される。例えば、度数集計や平均、割合などの記述的手法から、グループ間の差や相関などの関係とそれらの検定、重回帰分析やクラスター分析といった多変量解析も用いられる。得られた結果を、外部のデータとの関係から分析することも可能である。

　分析結果は、研究上の問い・仮説をふまえ、必要な解釈や推論がなされたのちに、報告に向けた準備が進められる。内容分析における「推論」とは、コンテンツの明示的な内容から、その文脈的な現象、つまりそれが含む意味や意図、帰結など観察できない現象を帰納的に推測することである。そうした結果が理解され、受け入れられるためには、研究結果の実用的な意義や学術的な貢献、内容分析手法を用いる妥当性、社会的な実用性やさらなる研究に向けた提案などが説明される必要がある（Krippendorff 2018）。

　以上のプロセスに唯一の「正しい」進め方は存在せず、それはまた単なる直線的なプロセスでもない。特に上記①、②の企画・設計段階では、様々な

形でループや繰り返しが含まれる（Krippendorff 2018）。そうした反復によって、研究をより適切で深みのあるものにしていくことができるのである。

（3）内容分析の現代的課題

　こうした内容分析のあり方は、情報技術の発展やメディア環境、コミュニケーション状況の変容を背景に、変化の最中にある。現在、内容分析にはどのような課題があり、いかなる対応が求められているのだろうか。

　まず、内容分析は人間が行うがゆえに、信頼性の問題が生じがちである。人間による分類カテゴリの生成はあくまで主観的であり、確証バイアスにも影響されやすい。また、同じコンテンツを、同じ人が再度同様にコーディングすることは難しく、まして新しいチームが以前のチームと同様にコーディングするのはきわめて困難である（Nelson 2020）。さらに、人間にはヒューマンエラーがつきもので、単純な入力ミスなども生じがちである（Lewis et. al. 2013）。そのため、どれだけ正確に測定できているのか「検証」とともに、どう信頼性を確保するのか対応が求められている。

　また、内容分析は手作業で行われるため、非効率であり、多くのリソース（時間、労力、コスト）を必要とする。そのため、大規模なデータを取り扱うことができず、少数のテキストのみで行うか、サンプリングによって多くのデータを省かざるを得ない（Nelson 2020）。そうしたなかでも、現代では膨大な電子データが利用可能になっており、圧倒的なビッグデータを処理するために、研究者は独自の方法論を模索、開発する必要に迫られている（Krippendorff 2018）。

　以上のとおり、ビッグデータ化の進展など情報・社会環境の変化のなかで、内容分析の手法には課題も多く、対応を迫られている。その大きな方向性の一つが、次節で述べるデータサイエンス手法の導入・活用である。

3　内容分析におけるデータサイエンス手法の導入と活用

（1）導入が進む背景とその意義・メリット

　近年、内容分析において、データサイエンス手法の導入が進んでいる。本稿では、ビッグデータを処理可能なコンピュータ・アルゴリズム、統計や

AI・機械学習等を用いた分析モデルなどをデータサイエンス手法と位置づける。その技術的な背景をふまえ、それらを導入する意義について検討する。

技術的背景

　まず、デジタルアーカイブの整備が進んだことで、分析対象となる、大量かつ幅広いコンテンツへのアクセスが容易になっている。メディアコンテンツや多様な文書・資料等が電子化され、大規模なデータベースとして利用可能である。また、インターネットを介してデータを迅速かつ効率的に入手できる環境も整っており、検索エンジンによるウェブ検索やオンラインアーカイブ、ソーシャルメディアなどから大量のデータを取得できる。

　次に、コンピュータの処理能力の向上・高速化により、そうした大規模なデータセットを取り扱うハードルが下がっている。CPU の高速化やメモリ・記憶容量の増大にくわえ、近年では GPU[2] の活用により、小型のノートパソコンでも、基本的な分析を迅速に行うことが可能である。また、クラウド環境を介して、高速・高性能のコンピュータも活用できる。

　さらに、コンテンツ、特にテキストを取り扱う技法やプログラムの進化もめざましく、「CATA」と呼ばれる内容分析を支援するソフトウェアが急速に進歩してきた。その背景には、テキストの統計的な処理・分析を可能にする自然言語処理や、機械学習・深層学習など基盤となる技術の進化がある。このように、多様な技術の開発・進化と融合することで、分析技法のレパートリーもますます増え続けている。

導入の意義・メリット

　こうした技術的背景のもと、内容分析にデータサイエンス手法を導入する意義とは、どのようなものだろうか。まず、大量のデータを効率的に、素早く、低コストで分析可能である。「アルゴリズムコーダは人間のコーダを使用する際の時間とコストを削減し、ビッグデータの分析を容易にする」(Lacy et. al. 2015)。これは、多くのリソース（時間・労力・コスト）がかかり非効率的という従来の内容分析の課題を解決しうる、大きなメリットといえる。

　2つ目は、テキストを確実に処理でき、信頼性が高いことである(Krippendorff 2018, Lacy et. al. 2015)。アルゴリズムは、いったんルールが決められると、それを繰り返し厳格に適用し、数値を割り当てていく。そして、コード化され

たデータは、自動的にデータセットに追加され、統計分析プログラムに簡単にインポート可能である。また、ルールが適切に設定されれば、人間のコーディングにおけるブレ・ズレやバイアス、ヒューマンエラーを回避することができる。さらに、プログラムされるコードは曖昧さがなく、網羅的であることが求められるため、各ステップが明確に文書化され、透明性と再現性の向上にもつながる。同じ辞書とモデルを採用すれば、内容分析の比較可能性を高めることも期待できる（Zamith & Lewis 2015, Riffe et. al. 2019）。

　このように、データサイエンス手法は、主に効率性と信頼性という面で従来の内容分析の課題に対応し、その解決をもたらすことが期待されている。そのため、海外ではその利用が広まるとともに、適切な導入や効果的な活用のありかたが工夫・考案され、活発に議論されるようになっている。

（2）「コンピュータ内容分析」のコンセプト

　内容分析へのコンピュータやアルゴリズムの導入・活用は、いかなる考え方やコンセプトのもとで進められてきたのだろうか。Neuendorf（2017）によると、内容分析は、「CATA の伝統と、自然言語処理、計算言語学、ビッグデータのテキストマイニング、ソーシャルメディア分析、感情分析などの分野と融合し始めており、時代の変化に合わせて拡張され、適応されてきた」。この領域は学際的に多くの学問分野が関わっており、各々が基盤とする領域やルーツも多様であるため、問題意識や問いの立て方、方法論の考え方などにも違いがある。上記のとおり、実際に用いられる技術や手法は実質的に融合が進んでおり、重なる部分や共通・類似する内容も多いものの、ドメイン分野に応じて、あるいは個々の研究者によって、類似した内容に異なる用語が使われたり、同じ用語でもその用法・解釈に違いや混同も見られる。こうした混沌とした状況のなか、それらを厳密に定義することは困難なため、ここではメディア内容分析にもとづく一視点から、緩やかに整理する。

　内容分析にコンピュータを用いる初期の試みは、「General Inquirer」（Stone et. al. 1966）が知られており、50年を超す歴史がある。メディア研究の内容分析においては、「CATA（Computer-assisted Text Analysis）」（コンピュータ支援テキスト分析）という用語がよく使われてきた。Krippendorff（2018）によると、

CATA には 2 つのアプローチがあり、一つは内容分析において手間のかかる部分や繰り返される部分を単に置き換える「コンピュータ補助装置の開発」、もう一つがテキストの複雑な統計量を計算可能な「テキスト解析ソフトウェアの開発」である。また、Neuendorf（2017）は、CATA を「デジタル化されたテキストにコンピュータ・アルゴリズムを適用して、何らかの要約出力（テキストのデータに基づく結論）を生成するもの」と定義している。

　一方で，Lacy ら（2015）は、「ATA（Algorithmic Text Analysis）」（アルゴリズム・テキスト分析）というコンセプトを用いている。これは、「アルゴリズムコーダ」を用いて、プログラムされた一連のルールや機械学習のアプローチによって、メディアコンテンツの属性に自動で数値を割り当てるコンピュータアプリケーションであり、CATA とは区別すべきと主張する[3]。

　その他にも、類似したコンセプトとして、「コンピュータ化〔計算論的〕テキスト分析」[4]、「自動内容分析」[5]、「データとしてのテキスト "Text as Data"」アプローチ（Grimmer & Stewart 2013, Benoit 2020）などがある。それぞれ、コンピュータの導入・活用、分析プロセスの自動化、テキストのデータ化に焦点が置かれるが、どのプロセスでどのようにコンピュータが用いられるか、どの領域やプロセスでどこまで自動化されるかは様々であり、自動と言っても、演繹的な手法をとる「半自動」と帰納的な「完全自動」に分けられる（Günther & Quandt 2016）。また「Text as Data」という用語は、計算社会科学において、主に政治学の領域で用いられる傾向がある。いずれも、デジタルデータ化されたコンテンツ（テキスト[6]）の分析プロセスを、コンピュータ・アルゴリズムを活用して自動化する手法であり、混合して用いられるケースもみられる（Grimmer & Stewart 2013, Wilkerson & Casas 2017など）。

　上記のとおり[7]、コンピュータ・アルゴリズムや AI 技術を活用した内容分析は様々な呼び方や解釈がなされているが、以下ではそれらをまとめて「コンピュータ内容分析」と総称する。他方で、従来の人間の手作業によるものを「マニュアル内容分析」と呼んで、両者を区分していく。

（3）「コンピュータ内容分析」の種類

　「コンピュータ内容分析」には、コンピュータの導入によって人間の作業

をアシストするものから、ほとんど
人手を要しない全自動に近いものま
で、多様な形態が存在する。また、
「CATA、NLP、計算言語学、テキ
ストマイニングは、異なる認識論
的、実質的な研究ラインから派生し
ているが、分析タイプは多くの点で
融合」（Neuendorf 2017）しており、
コンピュータ内容分析をめぐる状況
は混沌としてわかりづらい。

　以下では、内容分析におけるコン

表2　コンピュータ内容分析の種類

マニュアル手法
　①コンピュータ・アシスト：内容分析
　　における人間の作業をコンピュー
　　タが補助・支援
半自動化手法
　②ルール・辞書ベース：人間が設定
　　したルールや辞書をもとにアルゴ
　　リズムが自動でコーディング
　③教師あり機械学習：人間のコー
　　ディングをアルゴリズムが学習し
　　自動でコーディング
全自動化手法
　④教師なし機械学習：人間のコー
　　ディングなしにアルゴリズムが自
　　動で分析

ピュータ利用の中核に当たる「コーディング」のあり方を軸に、「コンピュー
タ内容分析」の大まかな整理を試みる。表2のとおり、従来型の「マニュア
ル手法」、人間による事前の準備・設定のもとコンピュータが自動でコーディ
ングを行う「半自動化手法」、人間による事前準備・設定が最小限である「全
自動化手法」と大きく3つに区分する。このうち「半自動化手法」について
は、「②ルール・辞書ベース」と「③教師あり機械学習」に、さらに分類し
ている。

①コンピュータ・アシスト

　このタイプは、従来の量的内容分析の各プロセスにおける人間の作業を、
コンピュータの導入・活用によって補助・支援するものであり、コーディン
グ自体は人間によって行われる。分析作業を多くのステップに分割したうえ
で、人間が得意なものとコンピュータが得意とするものに仕分け、あくまで
人間による分析を支援するというアプローチをとる（Krippendorff 2018）。

　Riffeら（2019）は、内容分析におけるコンピュータの利用を表3のとおり
まとめており、データの妥当性を大きく脅かさないかぎり、有効性と信頼性
を高めるために、データの収集、分析、ソート、フィルタリング、コーディ
ング作業の整理や、適用されたコードの検証などに使用されるべきと主張し
ている。コーディングを行うのはあくまで人間であり、人間が適切にコー
ディングできるように、コンピュータの機能やソフトウェアをコンテンツ単

位に対するアクセス、検索、分類、
フィルタリング、その他の管理に使用
できるという。

　Wettstein（2016）は、従来のマニュ
アル内容分析のプロセスに、コン
ピュータによる自動化手続きを有益か
つ適切に取り入れる機会について、体
系的に検討している。その結果、企画
からテキストの取得、コードブックの
作成、マニュアル調査の実施、データ
の処理にいたるまで、コンピュータに
よって幅広くサポートできる可能性を
指摘している。そして、コンピュータ

表3　内容分析のコンピュータ利用

- ・コンテンツの収集（データベースから
　のコンテンツ取得，動的コンテンツの凍
　結，カスタムデータベースの作成，デー
　タスクレイピング）
- ・分析に向けたテキストの構文解析・
　データ化
- ・コンテンツのサンプリング・並べ替
　え・フィルタリング
- ・コーディング作業の整理（動的イン
　タ ウェ スやコーディングテンプレー
　トの作成など）
- ・コーディングシートに入力された
　コードの確認
- ・コンテンツのコーディング（自動テ
　キスト解析，ATA など）
- ・コーディングされたデータの分析

（出典）Riffe ら 2019 をもとに整理

支援による内容分析は、コーディングの最終決定を人間が行い、各プロセス
における面倒で小さな仕事をコンピュータが代行することで、人間のテキス
トに対する理解や世界の知識、結果の妥当性を損なうことなく、手作業によ
るプロセスを効率化し、労力を著しく軽減できると結論づけている。

②ルール・辞書ベース

　このアプローチは、人間が設定したルールをもとにアルゴリズムが自動で
コーディングするものであり、事前に分類カテゴリを用意する必要がある。

　ルールベースでは、カテゴリに分類するルールを人間が設定してルール
セットを確立し、それを調査対象のコンテンツに適用することで、コン
ピュータが自動でコーディングを行う。ルールには繰り返されるパターンを
利用するため、繰り返しの特性を共有する多くの変数に適している。

　辞書ベースでは、あらかじめ人間が、検索する単語・フレーズのリストと
参照する辞書を用意する必要がある。辞書には大きく、一般的・標準的な辞
書と、特定の領域・対象向けにカスタマイズされたものがある。コンピュー
タはマッチングリストをもとに指定された単語・フレーズを文書から検索
し、辞書を参照することで、指定されたコーディングを自動で行う。これに
より、キーワードの出現率の計算、文書のカテゴリへの分類、文書があるカ

テゴリに属する度合いの測定などが行われる。代表的な手法である感情分析は、「ポジティブ／ネガティブ」にカテゴリ分けされた語が含まれる感情辞書にもとづき、各カテゴリに含まれる言葉の比率が計算されることで、文書内の感情が評価される（Günther & Quandt 2016, カタリナック・渡辺2019）。

　人間は、ルールベースではテキストの必要な情報へのマップを作成するのに対し、辞書ベースではどのキーワードを検索するのかを明示的に記述する（Günther & Quandt 2016）。いずれも、ルールの作成や辞書の準備は人間の判断に依存し、カスタマイズ辞書を作成する場合には十分な専門知識と多大な労力を要する。しかし、それらが適切に用意されれば、あとはコンピュータが大量のデータを自動で、迅速かつ比較的容易にコーディングするため、非常に汎用性・透明性が高く、わかりやすい手法といえる。

③教師あり機械学習（Supervised Machine Learning：SML）

　このアプローチでは、人間が行ったコーディングをアルゴリズムが学習し、コンピュータが自動でコーディングを行う。つまり、「人間のコーダがテキストの意味を解釈する能力」と「コンピュータが大量の文書からパターンを検出する能力」の両方を活用する手法である。人間が手作業でコーディングしたデータをもとにアルゴリズムが学習することから、人間がコンピュータに自分で辞書を作る方法を教えるモデルであり（Günther & Quandt 2016）、人間の判断を再現するモデル（カタリナック・渡辺 2019）ともいえる。

　大まかな手順としては、まず分析対象のコンテンツについて、その一定部分を人間がコーディングすることで、学習用のデータセットが作成される。次に、この学習データを使って、アルゴリズムに人間のコーディングを「学習」させることで、コンテンツの特徴とカテゴリ間の関係についてルールを導き出す。そして、この訓練されたアルゴリズムを残りのコンテンツに適用し、自動でコーディングを行うという流れである。

　教師あり学習では、ルール・辞書ベースのように、コンテンツを処理・分類するルールや単語などを人間が明示的に指定する必要はない。しかし、分類カテゴリは事前に人間が定義し、学習用データも人間がコーディングして用意する必要がある（Günther & Quandt 2016）。この学習データはモデルの学習だけでなくテストにも用いられ、分類の精度を高めるためには、質の良い

データを用意できるかが決定的に重要になる（van Atteveldt et. al. 2019）。

　教師あり手法には、数値を予測する「回帰」とカテゴリを予測する「分類」があり、「分類」の学習モデルとしては、「単純ベイズ」（naïve Bayes）が代表的である。このモデルは「ベイズの定理」に基づいており、迷惑メールの自動分類にも用いられている。その他にも、「ワードスコア」、「ラッソ回帰」、「サポートベクターマシン」などがあり、多くのモデルから選択できる。また、分類結果を向上させるために、アンサンブル学習の手法で複数のモデルを組み合わせることも可能である（Günther & Quandt 2016）。

④**教師なし機械学習**（Unsupervised Machine Learning：UML）

　教師なしモデルでは、人間が事前にルールやカテゴリを設定する必要も、コーディングを行って学習データを用意する必要もない。アルゴリズムが自動でコンテンツの特徴を学習してカテゴリを推定・生成し、理論的に「最適な」カテゴリにそれらを割り当てる「完全に自動化された方法」である。ルールベースや教師ありモデルがあらかじめ設定されたカテゴリに分類する演繹的なアプローチであるのに対し、教師なしモデルは「ボトムアップ」的で帰納的なアプローチといえる（Nelson et. al. 2021）。また、分析対象のコンテンツに関する知識が不足し、適切なカテゴリがわからないときや教師データが用意できない場合でも、その内容を体系的に探索したり、カテゴリの定義づけを支援する方法（Günther & Quandt 2016）として利用できる。

　教師なし学習としては、クラスター分析、対応分析、トピックモデルが代表的である。クラスター分析には階層型と非階層型があり、このうち階層型クラスター分析は、個々のデータの非類似度を「距離」としてとらえる。そして、距離の近いデータどうしをまとめてグループ（クラスター）を作っていき、樹形図（デンドログラム）で表現する手法である[8]。また、対応分析は、コンテンツをグループ化するだけでなく、個々のコンテンツや変数の関係を探る目的でも用いられる。クロス集計表に含まれる複雑な情報を少量の成分（次元）に圧縮し、それらの成分の関係を 2 次元の散布図などに可視化することで、コンテンツや変数の関係を直感的に把握できる（小林 2019）。

　近年最もよく用いられているのが、トピックモデル（topic models）である。これはコンテンツに含まれるトピック（話題）を推定する手法で、トピック

に応じてコンテンツを指定した数のグループに自動で分類する。代表的な「潜在的ディリクレ配分法（LDA）」（Blei et. al. 2003）は、各文書が複数のトピックを含み、各単語もまた複数のトピックに出現できると仮定する[9]。トピック数は人間が事前に指定する必要があり、望ましい数が与えられると、トピック上の単語と文書上のトピックの最も可能性の高い分布を推定し（van Atteveldt et. al. 2019）、文書と単語の関係に最も適合する形で、トピックが各々の文書と単語に割り当てられる（カタリナック・渡辺 2019）[10]。

　教師なし法は、事前の前提や想定、人間による準備や作業などが最小限で、展開が迅速かつ安価である。その一方で、分析後の結果の解釈に多大な労力を要する。トピックモデルでは、特定されるトピックが分析者によって事前に定義されておらず、その意味を事後的に解釈するには、分類された語がテキスト中でどのように使われているか精査する必要がある（カタリナック・渡辺 2019）。また、トピックモデルの適合と解釈において、適切なトピック数を選択することも重要になってくる（Benoit 2020）。

　教師なし法は、予備知識の少ないテーマや新たに収集したデータなど、関心のあるカテゴリが不明確であっても、事前に分類を決めることなく課題に取り組むことができ、データを幅広く探索することで、有益な洞察が得られる可能性がある。教師あり法ではカテゴリを新たに生み出さないことから、両者を補完的に利用することも有益であるだろう（Grimmer & Stewart 2013）。

（4）コンピュータ内容分析に特徴的な手続き

　こうしたコンピュータ内容分析は、どのような手順で進められるのだろうか。表4は、コンピュータ内容分析のうち自動（全自動／半自動）化手法の分析プロセスを、マニュアル内容分析と大まかに比較したものである。コンピュータ内容分析の手法は多様であり、この表中では同じ記述であっても、個々には違いも見られる。また、分析プロセスがより流動的、循環的な面もある。こうした細部には目をつぶり、あくまで大枠でとらえると、自動化手法に特徴的なのは、「前処理」、「文書行列の作成」、「アルゴリズムを活用したコーディング・分析手法の適用」であることがわかる。「コーディングルール・カテゴリの構成」なども含めた「コーディング・分析手法」については、

表4　マニュアル／コンピュータ内容分析の手続き比較

マニュアル内容分析 （含 コンピュータ・アシスト）	コンピュータ内容分析 （自動化手法）
1-1　理論と根拠 1-2　概念化 2-1　サンプリング、データ収集	1-1　理論と根拠 1-2　概念化 2-1　サンプリング、データ収集 ※ほぼ同様
2-2　分析単位の設定 2-3　コーディングルール・カテゴリの構成、コードブック作成	2-2　分析単位の設定 2-3　コーディングルール・辞書・カテゴリの構成と準備 ※半自動は一部同様・類似、全自動は原則なし
2-4　コーダトレーニング	※教師ありは、学習データの作成とアルゴリズムの訓練
3-1　測定：コーディング／記録 3-2　データ化（データの加工・削減） 4-1　分析手法の適用	3-1　<u>前処理</u> 3-2　<u>文書行列の作成</u> 4-1　<u>アルゴリズムを使ったコーディング・分析手法の適用</u> ※大きく異なる
4-2　結果の解釈・推論,報告準備	4-2　結果の解釈・推論、報告準備 ※ほぼ同様

すでに前節で取り上げているため、以下では自動化手法に特徴的なプロセスとして、「前処理」と「文書行列の作成」のみ取り上げる。

①テキストの前処理

　テキストデータは、もともと構造化されていない記号の羅列である。そのため、コンピュータで効率的に処理・分析するために、「前処理」によって簡略化され、数値に変換される。

　まず、分析に不要な文字列（ノイズ）を除去する「データクリーニング」が行われる。重複や誤記、改行コード、絵文字、半角・全角記号、HTMLタグなどが削除されることが多いが、「何か不要か」は分析目的によって異なるため、除去対象は適宜判断する必要がある。

　次に、文を単語や数字、記号などの要素（トークン）に分割する「トークン化（tokenization）」処理が行われる。英語の文書では、文を空白で分割するだけでトークン化されるが、日本語は語の境界が明確でないため、形態素解析など複雑な処理が必要になる。

　分割された単語は、さらに正規化・単純化される。「正規化」では、特定の文字列の特徴をパターン化して記号で表現した正規表現を活用すること

で、一定のルールに沿って文字列が変換され、表記揺れが統一される（固有名の表記、漢字・カタカナ表記、送り仮名、全角／半角、大文字／小文字の統一、記号や数字の取り扱いなど）。「単純化」には、記号ベースと頻度ベースがあり、記号ベースでは「ストップワード」（stop words）と言われる文法語の削除[11]、語尾を機械的に切り捨てる「ステミング」（stemming）、語形を原型に置換する「レマティゼーション」（lemmatization）が行われる。例えば、「飛ぶ」「飛んだ」「飛べる」「飛びます」「飛びたくない」という5種類のトークンは、「飛」という語幹、または「飛ぶ」という原型に置換することで1種類にまとめることができる。頻度ベースの単純化としては、極端に頻度の高い単語や頻度の低い単語などが除去の対象になる（カタリナック・渡辺 2019, Hase 2022）[12]。

②文書行列の作成

　続いて、トークンを文書ごとに集計して、「文書行列」（document-feature matrix）を作成する。文章行列は、行が文書、列が語に対応し、セルの値は各々の語が文書に登場する頻度を表している。分析の計算量を抑えるために、登場頻度の低い語を削除する「特徴選択」（feature selection）や、辞書を用いた特徴のグループ化によって、文書行列の単純化が行われる[13]。

　この単純化の度合いによって、「バッグ・オブ・ワーズ」（bag-of-words）と「ストリング・オブ・ワーズ」（string-of-words）という2種類の表現になる（Watanabe 2021）。バッグ・オブ・ワーズでは、単語の位置の情報が捨てられる分だけデータが単純化され、統計処理に要する計算量が少ないメリットがある。語の順序は考慮されないが、単語の出現頻度にもとづく頻出語の識別や情報量の多い特徴の選択、単語間の結びつき（共起）などの統計解析が可能である。ストリング・オブ・ワーズは、テキストをトークンのベクトルとして表現する。この形式では、単語の相対的な位置が保持されるため、データ量や計算量は大きくなるが、最近開発されたニューラルネットワークの多くは、この形式のデータ表現が必要である（カタリナック・渡辺 2019）。

4　まとめ

　本章では、メディア内容分析へのデータサイエンス手法の導入をテーマに、なかでもコンピュータ・アルゴリズムを活用したものを「コンピュータ

内容分析」と包括的にとらえ、その現状を俯瞰してきた。これらの取り組みは注目を集める一方で様々な課題も指摘され、活発な議論がなされてきた。以下では、そうした論点や課題の概要を整理して、本章のまとめとする。

　コンピュータ内容分析の論点・課題としては、コーディングや分析の質・精度、その信頼性・妥当性・客観性とその検証、コンピュータ・アルゴリズムの導入・活用のあり方に関するものが挙げられる。

　まず、アルゴリズムが複雑な人間の言語をどこまで正しく分類できるのか、分析の質が課題となっており、その精度の低さも指摘されている（Riffe et.al. 2019）。人間の抽象化能力や文脈からの推測能力、幅広い知識には及ばず、特に複雑なコーディングの質が疑われている（Lewis et. al. 2013）。また、明示的な単語のみを対象とするため、暗示的な内容をどこまで把握できるのかも問われており、コンピュータは人間の言語に含まれる豊かさ・複雑さや微妙な潜在的意味が理解できず、表面的な分析にとどまるという指摘もある（Conway 2006）。

　測定・分析の信頼性・妥当性・客観性とその検証のあり方も、論点の一つとなっている。Neuendorf（2017）は、CATA の測定における「ブラックボックス」の問題を指摘し、自動的に適用される尺度の妥当性に疑問を呈している。Conway（2006）は、CATA の分析における主観的な判断は恣意的であり、従来のコーダ間信頼性の基準から外れると主張する。特に教師なし学習については、推定を繰り返したり初期値が異なると結果も変わってくる不安定さから、信頼性に対する懸念も示されてきた。また「ゴールドスタンダード」が存在しないため、検証がより困難であるとも指摘されている（Wilkerson & Casas 2017, Hase 2022）[14]。

　以上をふまえ、コンピュータ内容分析は、いかなる考えのもと、どのように活用されるべきだろうか。Grimmer ら（2022）は、社会科学的な発想に立ち、「課題・タスク」と「研究プロセス」を中心に考えることを強調する。その主要なタスクとして、表現、発見、測定、予測、因果推論の５つを挙げ、研究プロセスの各段階でタスクを達成するために、新たな手法がどのように使用できるかという観点から議論を展開している。また、Riffe ら（2019）は、コンピュータの導入に際して、「妥当な測定ができるか」を最も重視すべき

であり、効率性を優先すべきではないと主張している。さらに、DiMaggio (2015) は社会科学者に対し、人間は何が得意なのか、そして人間の判断よりアルゴリズムによる解決が望ましいのはどのような場合なのか、見極める必要があると提言する。DiMaggio の指摘どおり、人間によるコーディングとアルゴリズムのコーディングを直接比較することで、それぞれの特徴や適性を探ろうとする試みも進んでいる[15]。

　こうした両者の特徴・適性をふまえて、二つの手法を組み合わせていこうとする「ハイブリッド・アプローチ」(Lewis et. al. 2013) も提唱されてきた。従来の手作業による内容分析は、大規模なデータセットを扱うようには設計されておらず、またアルゴリズムによる内容分析は、潜在的な意味や人間の言語の微妙なニュアンスを理解する能力に依然として限界がある。そこで、両者を組み合わせることで、従来の内容分析が持つ体系的な厳密さと文脈への敏感さという長所を維持しながら、計算機的手法の効率性とビッグデータを分析するアルゴリズムの正確性・信頼性、効率性、大規模な処理能力を最大限に活用でき、人間の労力も軽減する可能性があるという (Lewis et. al. 2013)。Riffe ら (2019) も、コンピュータの使用により効率性と信頼性を高め、潜在的なヒューマンエラー（入力ミスなど）を低減する一方で、人間の言語の意味ある文脈と複雑さを最もよく認識できる人間のコーダを最終的に頼りにできるとして、ハイブリッド・アプローチを推奨している。さらに Zamith & Lewis (2015) は、コンピュータと人間の専門知識との相互作用を促進し、その判断とアルゴリズムの効率性という互いの長所を融合させるようなフレームワークの開発と優れた技術システムの構築を主張している。このようなシステムは、高度な計算技術を活用して人間のコーダに手がかりを与えることでその判断を容易にさせるとともに、人間の文脈の認識を維持することで、より速く、より妥当で、より信頼性の高い判断が期待できる。

　このように近年では、従来の内容分析とコンピュータ・アルゴリズムをどう組み合わせていくかが、大きな論点となっている。Grimmer & Stewart (2013) によれば、内容分析には人間によるテキストの精読と思慮深い分析が必要である一方で、コンピュータを使った分析は従来とは異なる新たな読み方を可能にし、人間の読解能力を高めてくれる。このように人間の取り組み

を増幅することで、興味深い発見を促し、測定を効率化し、因果関係の推定を容易にし、予測を行う能力を向上させることが期待できる。コンピュータを使った分析は、人間の理解能力を代替するよりも、それらを増幅・強化するものであり、人間の取り組みにコンピュータの自動化手法を組み合わせていく最適な方法を見出すことが、最も生産的な探究のあり方といえるだろう。

注

1　Riffe らは内容分析を「コミュニケーションを記述し、その意味について推論し、あるいはコミュニケーションからその文脈（生産と消費の両方）を推測するために、妥当な測定ルールに従って数値を割り当てられたコミュニケーション・シンボルを体系的かつ再現可能な方法で調べ、それらの数値を含む関係を統計的手法で分析すること」と定義している。

2　「Graphics Processing Unit」の略。画像処理（画像描写）に特化した計算処理を行う演算装置・プロセッサのこと。コンピュータ全体の演算処理を行う CPU よりも並列的な演算性能に優れ、定型的かつ膨大な演算処理に適している。GPU の高い演算性能を、一般的な演算に活用する GPGPU も、多く登場している。

3　Lacy ら（2015）によれば、ATA は、独自のデータクリーニングのプロセス（前処理）など従来とは異なるプロセスに従うため、取り扱うデータの妥当性に独自の意味が生じており、研究デザインも根本的に異なるため、CATA や従来の内容分析とは区別すべきだという。

4　"Computerized Text Analysis"（Wilkerson & Casas 2017）や "Computational Text Analysis"（DiMaggio 2015）など。

5　"Automatic Content Analysis"（Günther & Quandt. 2016, van Atteveldt, Welbers & van der Velden 2019）や "Automated Content Analysis"（Hase 2022; Song et al. 2020）など。

6　各コンセプトでは、「テキスト」（text）という言葉がよく使われているが、その概念・理解・解釈は多様である。（文字どおり）「文字」に限定されることもあれば、分析可能なあらゆる固定的なコミュニケーション形式として画像・映像・音声などの「非文字」が含まれることもある。また、テキスト分析の文脈では、テレビドラマやニュース番組、新聞・雑誌記事などのメディアコンテンツは、無数のオーディエンスが見ること、読むことによって、多様な出来事の経験を可能にする「多層的な意味の織物」としての「テクスト」（text）と理解される（小林 2009）。

7　関連する用語として、「テキストマイニング」や「自然言語処理」（NLP）、「計算言語学」などもある。「マイニング」（Mining）とは「地下資源を採掘する」という意味から、テキストマイニングではテキストから有用な知見を探し出すことに重点が置かれ、「知識発見」（嶋田 2022）や「役に立つ情報を引き出す」（萩原 2016）ニュアンスがある。テキストマイニングと NLP は非常に似た分野や重なる領域もあるが、NLP は知識発見以外にも機械翻訳や情報検索、対話システムといった応用技術や基盤技術も含んでおり、自然言語をコンピュータで処理する多様な技術を幅広く取り扱っている。テキストマイニングに関わる基盤技術としては、文を単語単位に分割する「形態素解析」、単語間の係り受け関係を特定する「構文解析」、単語間の類似度を測るために単語をベクトル（数値）で表現する「分散表現」などがある（黒橋

2019）。計算言語学は、コンピュータや統計学など計算的手法を使って自然言語のしくみをモデリングする言語学の一分野（萩原 2016）で，その目的は言語自体の解明にある。NLP と同等の用語として扱われることもあるが、すべての NLP が言語学的なアプローチをとるわけではなく、NLP やテキストマイニングでは語順や文法といった要素が無視されることも多い（Neuendorf 2017）。

8　クラスタリングには、単語（頻出語）を対象としたものとコンテンツ（文書）を対象としたものがあり、後者の文書クラスタリングは、類似したトピックを持つ文書のグループを特定するために設計されている（Günther & Quandt 2016）。また、非構造型で標準的な k-means は、グループ間の差を最大化し、グループ内の差を最小化するように、分析者が指定した k 個のクラスターを生成する（Benoit 2020）。

9　LDA は、トピックと関連する単語の存在を仮定し、著者が文書のトピックを選択してから、それに対応する単語を選択するというデータの生成過程をモデル化している（カタリナック・渡辺 2019）。

10　LDA はいくつかの新しいアプローチから修正・拡張されており、相関トピックモデル、階層トピックモデル、動的 dynamic トピックモデル、ベイズ型ノンパラメトリックトピックモデル、構造トピックモデルなどがある。

11　英語のストップワードは「to」「the」「for」など。日本語では標準化されたストップワーズが見当たらないが、平仮名のみで構成されるトークンを削除することで同様の処理が可能である（カタリナック・渡辺 2019）。

12　品詞による単語の選別（例：形容詞のみ抽出、副詞の削除など）や N-gram の生成が行われることもある。N-gram とは、語の文脈を加味しながらトークンのあいまいさを低減するために、隣接する語を結合する処理のこと。

13　肯定的／否定的な語にカテゴリ分けされた感情辞書を用いて、辞書に含まれる語を二つの変数にまとめることで、大幅な単純化が可能である（カタリナック・渡辺 2019）。

14　有効な検証を行うためには、「ゴールドスタンダード」と呼ばれる適正な基準との比較・検討が必要であり（Grimmer & Stewart 2013）、その基準として人間によるコーディングが仮定されることが多い（Conway 2006）。しかし、両者は異なるプロセスを経ることから、必然的に異なるデータが生成され、人間のコーダが「正しい」とは限らない。そのため、外的妥当性を確立するためには、人間のコーダとアルゴリズムコーダの両者によって収集されたコンテンツデータを、どちらでもない外部の、理論的に関連する変数と比較することが必要（Lacy et. al. 2015）という意見もある。

15　概ね、アルゴリズムは表層レベルでの分析や明示的な変数の分析、構造的特徴や形式的特徴（ハイパーリンクの使用、日付など）、明確に概念化できる反復的なタスク（検索、コーディング、並べ替え、リストアップ、カウントなど）には適しているものの、より複雑な特徴や変数、より微妙で曖昧な属性や問題、評価や感情の測定、肯定的／否定的な文脈の判断は人間に及ばないという結果がみられる（Conway 2006, Sjøvaag & Stavelin 2012, Günther & Scharkow 2014, Zamith & Lewis 2015, Krippendorff 2018, Buhl et al. 2019, van Atteveldt et al. 2021）。

〔引用文献〕

Benoit, K. (2020) Text as data: An overview. In L. Curini & R. Franzese eds., *The SAGE handbook of research methods in political science and international relations*, 461-497. London: Sage.

Berelson, B. (1952) *Content analysis in communication research*. New York: Free

Press.

Blei, D. M., Ng, A. Y. & Jordan, M. I. (2003) Latent dirichlet allocation. *Journal of Machine Learning Research*, 3, 993--1022.

Buhl, F., Günther, E., & Quandt, T. (2019) Bad news travels fastest: A computational approach to predictors of immediacy in digital journalism ecosystems. *Digital Journalism*, 7 (7) , 910-931.

Conway, M. (2006) The subjective precision of computers: A methodological comparison with human coding in content analysis. *Journalism & Mass Communication Quarterly*, 83, 186-200.

DiMaggio, P. (2015) Adapting computational text analysis to social science (and vice versa). *Big Data & Society*, 2 (2) , 1-5.

Grimmer, J., Roberts, M. E., & Stewart, B. M. (2022) *Text as Data: A New Framework for Machine Learning and the Social Sciences*. Princeton University Press.

Grimmer, J., & Stewart, B. M. (2013) Text as data: The promise and pitfalls of automatic content analysis methods for political texts. *Political Analysis*, 21 (3) , 267-297.

Günther, E., & Quandt, T. (2016) Word counts and topic models: Automated text analysis methods for digital journalism research. *Digital Journalism*, 4 (1) , 75-88.

Hase, V. (2022) Automated Content Analysis. In Oehmer‐Pedrazzi, F., Kessler, S. H., Humprecht, E., Sommer, K., Castro, L. eds., *Standardisierte Inhaltsanalyse in der Kommunikationswissenschaft‐Standardized Content Analysis in Communication Research*. Springer VS, Wiesbaden.

Krippendorff, K. (2018) *Content analysis: An introduction to its methodology*. CA: Sage.

Lacy, S., Watson, B. R., Riffe, D., & Lovejoy, J. (2015) Issues and best practices in content analysis. *Journalism and Mass Communication Quarterly*, 92 (4) , 791-811.

Lewis, S. C., Zamith, R., & Hermida, A. (2013) Content analysis in an era of big data: A hybrid approach to computational and manual methods. *Journal of Broadcasting & Electronic Media*, 57 (1) , 34-52.

Nelson, L. K., Burk, D., Knudsen, M., & McCall, L. (2021) The future of coding: A comparison of hand‐coding and three types of computer‐assisted text analysis methods. *Sociological Methods & Research*, 50 (1) , 202-237.

Neuendorf, K. A. (2016) *The content analysis guidebook*. Thousand Oaks, CA: Sage.

Oehmer‐Pedrazzi, F., Kessler, S.H., Humprecht, E., Sommer, K., Castro, L. eds. (2023) *Standardisierte Inhaltsanalyse in der Kommunikationswissenschaft‐Standardized Content Analysis in Communication Research*. Springer VS, Wiesbaden.

Riffe, D., Lacy, S., & Fico, F. (2019) *Analyzing media messages: Using quantitative content analysis in research*. New York: Routledge.

Song, H., Tolochko, P., Eberl, J.‐M., Eisele, O., Greussing, E., Heidenreich, T., Lind, F., Galyga, S., & Boomgarden, H. G. (2020) In validations we trust? The impact of imperfect human annotations as a gold standard on the quality of validation of automated content analysis. *Political Communication*, 37 (4) , 550-572.

Sjøvaag, H., and Stavelin, E. (2012) Web media and the quantitative content analysis: Methodological challenges in measuring online news content. *Convergence: The*

International Journal of Research into New Media Technologies, 18 (2) , 215-29.

Stemler, S.E. (2015) Emerging trends in content analysis. In Robert Scott and Stephen Kosslyn eds., *Emerging Trends in the Social and Behavioral Sciences*. Hoboken, NJ: John Wiley and Sons.

Stone, P. J., Dunphy, D. J., & Smith, M. S. (1966) *The general inquirer: A computer approach to content analysis*. Cambridge: M.I.T. Press.

Su, L. Y. F., Cacciatore, M. A., Liang, X., Brossard, D., Scheufele, D. A., & Xenos, M. A. (2017) Analyzing public sentiments online: combining human - and computer - based content analysis. *Information Communication and Society*, 20 (3) , 406-427.

van Atteveldt, W., Welbers, K., & van der Velden, M. (2019) Studying political decision making with automatic text analysis. In W. R. Thompson Eds., *Oxford Research Encyclopedia of Politics*. Oxford University Press.

Watanabe, K (2021). Text - as - Data, *Encyclopedia of Technology & Politics*, Edward Elgar Publishing.

Wettstein, Martin. (2016) Verfahren zur computerunterstützten Inhaltsanalyse in der Kommunikationswissenschaft., University of Zurich, Faculty of Arts. Dissertation. Zurich Open Repository and Archive, University of Zurich.

Wilkerson, J., & Casas, A. (2017) Large - scale computerized text analysis in political science: Opportunities and challenges. *Annual Review of Political Science*, Vol. 20: 529-544.

Zamith, R. & Lewis, S. C. (2015) Content analysis and the algorithmic coder: What computational social science means for traditional modes of media analysis. *The Annals of the American Academy of Political and Social Science*, 659, 307-318.

カタリナック・エイミー・渡辺耕平 (2019)「日本語の量的テキスト分析」『早稲田大学高等研究所紀要』第11号 133-143.

黒橋禎夫 (2019)『自然言語処理〔改訂版〕』放送大学教育振興会.

小林直毅 (2009)「テクスト分析，言説分析の視点」伊藤守編『よくわかる メディア・スタディーズ』ミネルヴァ書房.

小林雄一郎 (2019)『ことばのデータサイエンス』朝倉書店.

嶋田和孝 (2022)「テキストアナリティクスことはじめ」榊剛史編『Python ではじめるテキストアナリティクス入門』講談社.

萩原正人 (2016)「自然言語処理の概要」奥野陽ほか著『自然言語処理の基本と技術』翔泳社.

第6章　置いてけぼりにしない統計教育を目指して

—社会情報学科の統計・データサイエンス科目の授業実践の事例

井口　尚樹

1　はじめに

　できるだけ多くの知識を伝えつつ、学生の主体性をいかに損なわずにいられるか。このバランスのとり方が、本稿のテーマである。以下では、目白大学社会情報学科で実施している3つの、統計・データサイエンス系授業の紹介をする。

　想定している読者は以下の通りだ。第1に、統計・データサイエンス教育に取り組まれている教員の方々である。社会調査士の資格科目を担当されている先生方にも参考になるかもしれない。第2に、目白大学の実際の授業の様子を知りたい高校生・保護者・高校教員の方々。第3に、履修する授業の様子を予め知っておきたいという社会情報学科の学生である。

　冒頭で述べたテーマは、私自身のかつての苦い経験からくる。教員をしている手前、あまり大きな声では言えないが、私は学生時代、優秀な学生ではなかった。大学3年生、4年生と2年連続で、多変量解析を扱う授業（社会調査士資格F科目）を落単（ドロップアウト）した。5限の時間帯、蛍光灯が輝き、私の頭は暗かった。方向転換をはかり大学院科目を履修するも、授業内容についていけず、ただクロス集計の発表を繰り返す身の程知らずの履習者であった。

　かつての私のような学生を生まないこと、それは私の授業の目標の1つでもある。恥を忍んでいくつか特徴を挙げておこう。

A. 現在受けている授業内容が、全体の中でどこに位置付けられるのかが分からない。

B. 数式を途中まで追えるが、どこかで論理が追えなくなってしまう。

C．自分の PC でのソフトウェアのエラーを共有する勇気が持てず、集団か
　　ら離されていく。

　これらのいずれも、学生にとって授業内容が自身と関連しないものになる
（レリヴァンスの低下）ことをもたらす。それは私の場合は、授業からの離脱
に結びついていた。

　ただし、このようなドロップアウトの経験は、今となってみると、必ずし
もすべてが無駄ではなかったように思われる。それぞれの授業でも理解でき
る部分、記憶に刻まれた先生の一言というものがあり、それが後の別の授業
の理解の助けとなった。より具体的には、以下のような部分だ。

１．「特にこの部分は重要だ」と強調された部分(授業全体の中での位置が明確[1]。

２．数式の背景の論理の説明（興味を抱きやすかった）。

　こうした蓄積の助けもあり、離脱せずについていける授業もあった。大学
3 年時の赤川学先生の「社会調査実習」は統計ソフト SPSS を用いた実習形
式であった。それは以下の特徴があった。

３．到達目標がはっきりとしていた（そこまでの手順を自然と覚えようという気
　　になった）。

４．実習の時間はゆったりとられていた（学生間の教え合いが機能し、学ぶ側の
　　ペースで進めることができた）。

５．ソフトウェアのコマンドは具体的に記されていた（コマンドを実行し、実
　　際に分析がうまくできた嬉しさがあった）。

　また、修士課程で受けた佐藤香先生の授業は、全体の講義と、各個人の分
析発表がセットになったものであった。それは、

６．1 人 1 人を丁寧にみて、フィードバックをするものだった（やる気につ
　　ながった）。

　最後に、博士課程で受けた三輪哲先生の授業は、英語の教科書を丹念に読
むものであった。そこでは、

７．初めから教科書の全体が提示されていた（講義の全体像がつかみやすかっ
　　た）。

８．数式の、図形でのイメージのスライドが多かった（背景の論理が分かりや
　　すかった）。

　少し回り道をしたが、この後紹介する各授業で目指されていることは、A
～ C の離脱の要素を避け、1 ～ 8 の主体的な学びを促進する要素を追求す
ることである。大きくまとめると、講義の全体像とその中での当該回の位置
を繰り返し伝えつつ、数式についてはその大まかなイメージを最初に頭に浮
かべやすくし、ソフトウェアでの実習は各学生のペースで進めさせるという
ものだ。

　上記のほかに，もう 1 つ、心がけたことがある。

9．数式を省かないこと、

　である。確かに中学や高校で数学が得意でなかったという学生も多い。し
かしそれに「合わせて」、数式をスライドに載せないようにするなどすると
どうなるか。学生が本質的な理解にたどりつくための手がかりは参考文献の
みとなってしまう。数式には、考え方の本質が凝縮されており、学習者が最
終的にはそれを見て内容を想起できるようにすることが重要だ。ソフトウェ
アを動かし分析ができるようになることは、最終的な目標とすべきではな
い。細かいソフトウェアの操作は数年経つと忘れるし、何よりバージョンの
更新とともに操作が変わってしまう場合も多い。一方、数式はたとえ忘れて
も、かつて一度理解をしていればすぐ思い出せるし、全体を思い出すための
鍵となる。これまで挙げてきた工夫はすべて、モチベーションを保ちつつ、
数式の理解まで学生を導くための手段である。

　では、この方針のもとで、具体的な授業はどのように行っているのか。以
下、順に、社会調査士資格 D 科目「社会統計学」、同じく F 科目「データ分
析アドバンス／データ分析」、同じく B 科目「社会情報学方法演習 2 ／社会
調査演習」の、3 つの授業の紹介をする。それぞれ、Excel を用いた推測統
計学の基本、R を用いた多変量解析、調査票の設計・実査・分析に関する授
業である。それぞれは独立しているので、関心のある授業の箇所だけ読んで
いただいても構わない。

2　「社会統計学」：大人数への、推測統計学入門

　「社会統計学」は、記述統計学の復習をしつつ、推測統計学を学ぶ授業で
ある。履修者数は2021年度は41名、2022年度は81名であった。2021年度は

Zoom での同時双方向形式、2022年度は対面回とオンデマンド動画回を組み合わせて行った。

　この講義の最終レポートは、SSJDA（東京大学社会科学研究所データアーカイブ）より貸出を受けたデータセットを用いて、各学生が任意のテーマのもと、2変数の関連の分析と検定、そして第3変数による統制を行うというものである。

　初回授業からこの課題を発表し、到達目標の明確化をはかった。また、毎

表1　2022年度「社会統計学」15回の内容（シラバスより抜粋）

1　授業ガイダンス、社会統計学とは、記述統計学と推計統計学　＜対面＞
　　授業の概要と、扱う分析法の位置付けを理解する。

2　数学的基礎の確認、Microsoft Excel の操作法、利用データの説明　＜対面＞
　　文字式の読み方について学び、慣れる、Microsoft Excel の基本的な操作を覚える。

3　基本統計量（代表値、散布度）、単純集計、度数分布表の作成　＜オンライン＞
　　1変数の特徴を表すための、各種代表値、散布度について学ぶ。Excel で度数分布表を作成する。

4　変数の種類（尺度レベル、種類に合った分析法）　＜対面＞
　　調査票での質問の仕方と尺度レベルの対応を学ぶ。変数の種類に応じて分析法を選べるようになる。

5　確率論の基礎（確率変数・正規分布等）　＜オンライン＞
　　確率変数の考え方や代表的な確率分布について学ぶ。

6　統計的検定・推定の考え方　＜オンライン＞
　　帰無仮説・対立仮説、第1種の過誤と有意水準、第2種の過誤等

7　サンプリングの理論、母平均の推定　＜オンライン＞
　　母集団と標本の関係、標本誤差、点推定と区間推定. t分布等

8　2つの平均や比率の差の検定（1）　正規分布　＜対面＞
　　t検定を用いる条件や考え方について学ぶ。

9　2つの平均や比率の差の検定（2）　t検定　＜対面＞
　　Microsoft Excel を用い、t検定を行ってみる。

10　相関の基本　＜対面＞
　　散布図、相関係数の計算方法、外れ値の影響について学習する。

11　相関の解釈　＜対面＞
　　無相関の検定、データ上の関連と因果関係の違い、疑似相関、統制

12　クロス集計、クロス表の作成と分析　＜オンライン＞
　　クロス表の書き方を学び、実際のデータの解釈を行う。

13　カイ2乗検定　＜対面＞
　　独立性の検定の意味を学んだ上で、Microsoft Excel を用いて検定を行ってみる。

14　三重クロス表　＜対面＞
　　統制について再度学ぶ。Microsoft Excel を用いて三重クロス表を作成し、解釈する。

15　回帰分析の基礎、授業のまとめ　＜オンライン＞
　　最小二乗法、回帰係数

授業初めの５分程度は、これまでの流れを復習した上で15回全体の中での位置付けを明示するようにした。そのねらいはもちろん、現在やっている内容が全体の中でどこに位置付けられるかが分からず、迷子になることを防ぐことである。各回の詳細は表１の通りである。

　各授業は、統計学の知識にかんする講義が半分、残り半分は Microsoft Excel を用いた実習、という形で進めた[2]。これは、講義で習った内容が実際の分析と結びついている実感、そしてソフトウェアを動かし明確な結果が出る喜びを与え、その後の講義への集中力を高めるためである。１時間半全体を講義にしてしまうと、受ける側も話す側も集中力が保ちづらい。内容上、どうしても大部分を講義にせざるを得ない回（検定など）は、オンデマンド動画を視聴する形式にした。自分のペースで休憩をはさみつつ聴講でき、集中しやすいと考えたからだ。

　一方、Excel での実習は、なるべく対面で行うようにした。Classroom に事前にアップロードしたスライドに沿って、初めに教員がやり方を伝え、その後数十分は、学生の作業時間とした。この間、教員は巡回し、手をあげた学生の質問に個別に答えていく。長めに作業時間をとったことで、飲みこみが早い学生にとっては「することのない時間」が生じてしまったかもしれない。一方、とにかく講義が止まっているため、質問しかすることがない時間がある、ということは、自分から質問をするのを促すのには良かったかもしれない。さらに、教員が学生の画面をのぞいて回る中で、質問をためらっているもののトラブルに陥っている学生に気づけるという利点もあった。

　なお２年目は、履修者が41名から81名へとほぼ倍増したことで、教員１人の巡回で質問に対応することの困難も予想された。しかし思わぬことが２つ起こり、想像したほどの困難は生じなかった。第１に、学生の相互に教え合いが活発に行われた。学生の多くは、３、４人で並んで座っていた。このうちの誰か１人が手順を理解すると、他の学生にそれを伝え、結果として教員に質問せずに済んでいた。この点では、１年目の Zoom 同時双方向形式（画面共有し教員がアドバイスする形）よりも、疑問の解消はうまくなされていたようであった（Zoom の場合、全体に共有されるため、質問をしづらい面があると考えられる。これは私自身も学生として経験したことである[3]）。第２に、SA（ス

チューデント・アシスタント）の３年生の荒井陸斗君が、手伝いを自ら申し出てくれた。彼はこの授業をかつて履修していなかったため、私は授業前後の準備のみを仕事として想定していた。しかし「先生が大変そうだし、学生も早くご飯に行きたいだろうし」と、ワークの操作手順を事前に覚え、巡回し学生の質問に答えてくれた。彼の助けは、学生達の学びに大いに役立った。

　その他いくつか気を付けた点を書き留めておく。

・データセットは、量的変数と質的変数が両方とも、一定数含まれているものを選んだ。社会学の調査は質的変数を多く含むものが主流であり、中には量的変数が含まれていないものもある。ｔ検定や、相関係数の計算の実習で必要なので、量的変数が一定程度含まれているものを選ぶようにした。

・実習は、教員が手順をすべて教える例題と、学生が手順を考えて行う課題ワークの２つで構成した[4]。どんな分析でも、必ず１度は詳細な手順をマニュアル化し、伝達すべきであると考えたため、例題を設けるようにした。課題ワークはスライドには手順が記されていないものの、授業の巡回時に質問された場合は、ある程度手順を伝えるようにした。課題ワークは確かに成績の３割を占めるが、評価・選抜よりも、技能の習得の動機付けと確認を目的として課していたため、このようにした。一方、最終レポートについては評価の側面が強く（社会調査士資格の科目であり、学生の技能や理解が期待基準に達しない場合単位を付与しないこととしている）、変数選択の是非以外はあまり質問を受けなかった。

・「検定」については、２, ３回に分けて、丁寧に説明するようにした。

・「量的変数」と「質的変数」の違いと、それぞれのデータの要約・分析に用いる分析法の違いについても毎回繰り返し伝え、全体の中での位置付けを明確化するように努めた。

　最後に授業を行った結果と課題について述べる。第１に、２変数の関連の分析と検定は、ほとんどの学生が自ら行うことができるようになっていた。また授業から途中で離脱する学生もごく少数にとどまった。学生の興味を引くための身近な話題との結び付けなどを全く行わず、淡々と統計的知識のみを教える授業にしては、学生はよくついてきてくれたように思う。

　一方で、第３変数による統制は、全員が完全に理解できているわけではな

かった。大まかな手順は合っているものの、それをもとに考察することが容易ではないようだった。授業では、考察の文章の書き方や、変数の選択の仕方については、例題で一例を示したものの、様々なパターンを紹介する時間はとれなかった。これが、いざ自分で第3変数の統制を行おうとしたとき、どの変数で統制を行えばよいのかについての疑問と、考察の書きづらさにつながったと考えられる。第3変数の統制や、交互作用効果の考察は、理解できればデータ分析の面白さを感じられる部分でもあるので、より理解しやすくなるようにするのが、今後の課題である（授業時間外に読む資料を用意したり、それまでの授業を効率化し解説の時間を増やす、等の手が考えられる）。

3　「データ分析アドバンス／データ分析」：少人数への、多変量解析入門

　本授業は、扱う変数の数が3つに留まっていた「社会統計学」からさらに一歩進んだ内容で、多変量解析の知識と技能を習得することを目的としたものである。社会調査士資格のE科目にあたる。1年目の履修者は5名、2年目は13名であった。各回の詳細は表2の通りである。

表2　2022年度「データ分析アドバンス／データ分析」15回の内容

1	多変量解析とは何か、Rのインストール　＜対面＞
2	回帰分析の基礎（データとモデルの関係、回帰式、最小二乗法）　＜対面＞
3	モデルの当てはまり、検定　＜オンライン＞
4	Rの基本操作、単回帰分析をRで行う　＜対面＞
5	重回帰分析①（回帰式、統制、誤差の仮定、多重共線性と対処）　＜対面＞
6	重回帰分析②（標準化偏回帰係数、検定）　＜オンライン＞
7	重回帰分析③（モデルの当てはまり、自由度調整済決定係数、モデルの比較）＜オンライン＞
8	重回帰分析④（独立変数の処理、ダミー変数）　＜対面＞
9	重回帰分析⑤（重回帰分析をRで行う）　＜対面＞
10	二項ロジスティック分析①（オッズ、ロジット・モデル、回帰係数の解釈）　＜オンライン＞
11	二項ロジスティック分析②（最尤法、情報量基準、疑似決定係数）　＜オンライン＞
12	二項ロジスティック分析③（二項ロジスティック分析をRで行う）　＜対面＞
13	順序ロジスティック分析の考え方　＜オンライン＞
14	多項ロジスティック分析の考え方　＜オンライン＞
15	他の多変量解析の手法の紹介（マルチレベル・モデル、因子分析）　＜対面＞

　本授業では扱う分析の選定が悩ましかった。重回帰分析は資格要件として必ず扱うこととなっているので、当然含める。問題は、他の計量モデルのうちどれを扱うかである。これには正解はないが、本授業では、順序ロジスティック回帰分析、多項ロジスティック回帰分析を扱うこととした。理由としては、重回帰分析を習得した後、社会学に多い質的変数を多く含む調査データを分析しようとする時に頻繁に生じるであろう、従属変数が質的変数であることで分析ができない、という問題の解消が、学ぶプロセスとして自然で、役立つ機会も多いように映ったからである。

　回帰モデルを軸に据えたことで、授業全体の中での各回の位置付けは学生に伝わりやすくなったと考えられる。初期の回で、従属変数の種類により、重回帰分析、順序ロジスティック分析、多項ロジスティック分析を使い分けることを教えた。そしていずれの分析法の説明でも、「モデルの概要」「適用するのが適切である条件」「検定の仕方」「データのモデルへの当てはまりの程度の表し方」の順で説明を行うことで、全体の中での位置付けを見えやすくした。

　授業の形式は、「社会統計学」と同様、講義による知識の伝達と、統計ソフトを用いた分析の実習を組み合わせる形で行った。教え方のスタンス、最終レポートの形式も同様である。

　ただし、多変量解析を Excel で行うことは困難であるため、本授業ではそれをより行いやすいソフトウェアである R を用いた。Stata や SPSS などの有料ソフトウェアと比べ、R には無料であるというメリットがある。一方で、インストール時に、学生各自の PC の設定によって、個別のトラブルが発生しやすいというデメリットもある。

　インストール関連のトラブルについては、以下の3つの方法で対処をはかった。第1に、初回授業での個別対応である。本授業の履修者数は「社会統計学」より相当絞られ少数であったので、これが可能であった。また1年目では生じるエラーが予想しづらかったため、その後数週間かけての対応となってしまったが、2年目では前年度に生じたエラーの類型を参考に、資料を予め準備できたので、対応が比較的容易となった[5]。

　第2に、1年目で特に用いたやり方であるが、インストールが多少うまく

いっていなくても、分析が行えるように、用いるデータの変数ラベルを加工（もしくは削除）したり、操作法を 2 通り（インストール状況に応じて）スライドに記載するようにした（2 年目は全員が問題なくインストールできたので、この必要はなくなった）。

　第 3 に、情報教育研究センターの方々が、PC 演習室の各 PC に R と R Studio をインストールして下さった。これは 1, 2 年目では、PC を持参できない学生や、上記の方法で対処が難しかった場合の学生の避難路として大いに機能した。さらに、仮に履修者数が増え個別対応が難しくなった場合、インストールトラブルを回避し、授業の内容に速やかに入るための基盤が整備されたということは、今後の授業実施の可能性を広げてくれるものである。

　本稿の執筆時点は、2 年目の第 4 回にあたるため、学生の理解度と課題については主に 1 年目をもとに以下論じる。本授業の内容の難度は「社会統計学」よりも高いが、一旦インストールすれば、R の操作は Excel の操作よりも容易であることもあり、授業時間はそれほど不足しなかった。

　1 年目の履修者は 5 名であったが、うち 1 名はノート PC を持っていなかったため、PC 室のタブレットを用いて授業に参加していた。ただし遅刻、欠席が多く、最終課題は提出しなかった。離脱の原因は不明であるが、統計的知識は積み重ねで理解していくものであるため、1 回の遅刻・欠席でも影響が大きく、それが離脱につながった可能性がある。これについては、第 1 回の授業ガイダンスなどで先に学生に伝えておくべきかもしれない。

　一方、残りの 4 名の学生は最終課題を提出し、単位取得に至った。最終課題の内容は任意の変数を用いて、それに応じた分析法を選び、多変量解析を行うというものだったが、いずれの学生も、適切な分析法を選び、結果の解釈も妥当であった。Excel を用いた「社会統計学」と比べて、R を使う分操作ミスが起こりづらく、分析のアウトプットは、正確であった。ただし正直なところ、学生が優秀であり、1 年目で十分に整備されていない授業によくついてきた、という感想である。2 年目は、1 年目で生じた R のインストール・操作手順のミスへの対応と微修正を行いつつ、進めている。

4　「社会情報学方法演習２／社会調査演習」：中程度の人数での質問紙調査の設計・まとめ

　この授業は、学生が質問紙調査（アンケート）を自ら作成・実施し、分析と報告書執筆までの一連の流れを経験するものである。前に紹介した２つの授業と少し異なり、データの分析だけでなく収集に重点が置かれている。授業は2022年度春学期に実施され、社会情報学科の２・３年生が履修した。全15回の内容は表３の通りである。授業は対面12回、オンデマンド３回で行った。

表３　2022年度「社会情報学方法演習２／社会調査演習」15回の内容

（シラバスより抜粋）

第1回	授業ガイダンス、社会調査の基礎知識　＜対面＞ 〜授業の進め方、受講上の注意、講義の復習・確認〜
第2回	標本調査の目的と意義　＜オンライン＞ 〜標本調査の一般的手順とその意味、母集団と標本、サンプリングの意味〜
第3回	調査のテーマ・目的・仮説　＜対面＞ 〜調査テーマ・目的の明確化、仮説の構成〜
第4回	調査企画・設計・管理　＜対面＞ 〜調査実習に向けた企画と準備、調査スケジュールの設計、予算管理〜
第5回	数量化のメリット・デメリット　＜対面＞ 〜基本仮説から操作仮説へ、尺度の設定〜
第6回	調査手法・調査対象の決定とサンプリングの実際　＜対面＞ 〜実査の種類、サンプリング手法とその実習〜
第7回	調査票の作成　＜対面＞ 〜作成上の注意、質問文・選択肢・回答形式の設計、試作、予備調査へ〜
第8回	調査票の完成　＜対面＞ 〜予備調査からのフィードバック、調査票の再検討、精査へ〜
第9回	調査の実施と調査票の回収　＜対面＞ 〜実査の注意事項、調査票回収における注意と工夫〜
第10回	データ化作業　＜対面＞ 〜作業の手順と注意事項、コーディング・データ入力・クリーニングの実際〜
第11回	データの集計　＜オンライン＞ 〜データの基本的な集計方法とグラフの作成〜
第12回	データ分析の基礎　＜オンライン＞ 〜基本的なデータ分析と各種検定〜
第13回	調査報告書作成と発表準備　＜対面＞ 〜調査報告書の作成、発表会に向けた準備〜
第14回	調査結果の発表会　＜対面＞ 〜調査結果のグループ発表、質疑応答、相互評価〜
第15回	授業の総括　＜対面＞ 〜調査の反省、報告書の再検討〜

　具体的な授業の進め方については、別に製本した調査報告書（目白大学社会学部社会情報学科「社会情報学方法演習２／社会調査演習」教員・履修者 2022）にも記したが、簡単に紹介しておく。

　第１回から第７回までは、これまで他科目で学んできた量的調査法の知識（調査のプロセス、調査倫理、サンプリング、ワーディング）を復習しつつ、実施する調査の企画を行った[6]。身近な疑問から仮説を立てることを重視し、履修者にとって身近な目白大学社会情報学科の学生（具体的には、担当教員が社会情報学科の１年生向けに行っている「社会調査の基礎」の全履修者109名）を対象に調査を実施することとした。

　質問は、各学生が、自身の興味関心に応じて作成した。まずは個人ごとに自身の調べたいテーマを考え、互いに共有した。その内容を教員が分類し、「趣味・消費」、「アルバイト」、「人間関係」の３つの作業班に学生は振り分けられた。その後、自身のテーマに関する先行研究の探索とまとめを、図書館を活用しつつ２週間かけて行い、作業班内で見つけた先行研究を共有した。次に、先行研究を参考にしつつ、個人ごとに仮説を練り上げ、それに沿った質問文を作成した。グループごとに質問順を決め、Google Form への質問文の入力とレイアウト作成を行った。

　第８回から第10回では、履修者自身で調査に答えるプレ調査を２回行い、質問文や選択肢についての相互コメントおよび修正を行った。その際、教員からも、主に仮説と質問が対応しているかどうかという観点からコメントをし、必要に応じて学生は質問の修正をした。

　調査票の配布・回収の後、第11回、12回では、学生は、データ・クリーニングや分析のやり方についてのオンデマンド動画を視聴し、各自でこれらの作業を行った。第13回は対面での相談日とし、各自報告書を執筆するとともに疑問点を教員に相談する機会を設けた。第14回、15回は最終発表会として、各自が執筆した報告書についてそれぞれ５〜10分程度の発表をし、受けたコメントをもとに修正をした原稿を報告書に収めた。

　全体を通じて分かる通り、この授業では、問題関心の明確化と仮説生成までに、比較的多く時間を割いた。これは、履修者の状況に起因する。多くの履修者は２年生であったが、２年春学期の開始時点では、１年次の入門的な

講義を履修したのみの状態であり、各学問分野の主要な理論について、まだ十分に学習が進んでいない。このような状況では、そもそも調べたいことや、それにかんする仮説を思い浮かべることが難しいと考えられる。しかし、調査や分析において本質的に重要なのは、この部分であるため、できる限り時間をとるようにした。

　ただし授業時間は、若干不足した。問題関心の明確化と仮説生成までに時間をとった分、特に調査票全体での質問の順番の並び替えや調査説明文の作成など全体での相談・調整の時間が不足した。これについては教員が一元的に行って間に合わせた。

　調査票を紙にするか Google Form にするかは悩ましいところであるが、対象者も学生であるので、学生の立場ではどちらが答えやすいかを履修者に質問してみた。すると、Google Form がよいと答えた学生が多かった。Google Form を用いたことの良い点として、データ入力の手間が不要であることがある。一方で悪い点としては、Google Form の操作に苦戦する学生が見られたこと、また入力が不要とはいえ多少のデータ・クリーニングが必要であること（特に複数選択回答の設問）が挙げられる。Google Form の操作については十分指導できなかったが、班内の学生同士の助け合いでなんとかうまく乗り切ってくれた（ただしレイアウト調整や表現の統一は、教員が行うことで時間を節約した）。データ・クリーニングの仕方については教員が動画を作成し、各学生に自分の設問のクリーニングをさせた。個別の質問は多く出たので補足の説明は必要と感じたが、概ねクリーニングはできていた。総じて、紙よりも Google Form 形式の方が実施は容易であったように思う。

　調査対象は、担当教員が社会情報学科の1年生向けに行っている「社会調査の基礎」の全履修者（109名）とした。全数調査としたため、標本抽出の実際のやり方などは実習できず、オンデマンド動画で学習するのみとなった。もし予算に余裕があれば、より大きな母集団からの標本抽出を行うのもありうるかもしれない。

　授業では、最終的には調査票の作成とデータ収集は無事できた一方で、そこに至るまでの過程やその後の分析については、課題も多かった。

　第1に、理論仮説を立てることに苦労した学生が多かった。このことは履

修者の状況から事前に予測されたため、第3回、4回で先行研究の下調べを
させる前に、「対象」と「テーマ」の違いについて（石岡 2016）や、インター
ネット上での検索がしやすい「対象」についての先行研究だけでなく、授業
や各分野の教科書を通じて学ぶ「テーマ」の先行研究を集めることの重要性
を強調して説明をした。また先行研究を調べる時間を出来るだけ多く（2時
間分）とり、図書館に行かせるなどした。ただしこれらの回の課題で学生が
提出したのは、対象についての先行研究を1，2編、という場合が多かった。
これについては、1，2回の自習だけではやはり難しく、他の授業を2年ほ
ど履修して各分野の主要な理論や課題を知った上で、本授業を行う方がよい
ように思われる。理論仮説という概念への理解や具体例への接触が不十分な
中で生じたこととして、一部の学生が1変数の分布についての仮説を立て、
「独立変数」と「従属変数」からなる「説明」の仮説を立てないことがあった。
もちろん1変数の分布が重要なテーマになることもあるのだが、限定された
サンプル（本授業の場合は、目白大学の1年生）に対する調査の場合、その結果
の意義は特に小さくなってしまう。ただし、「独立変数」と「従属変数」の
形で仮説を立てるよう個別指導する中で[7]、多くの学生は、後の分析につな
がる仮説を立てられていた。個別指導前の全体への講義だけでは理論仮説と
作業仮説の違いや、独立変数と従属変数をおくモデルについて理解しきれな
い学生も多く、個別指導が必要であった点は反省点である。

　第2に、操作仮説を立てたものの、それに対応した質問を調査票に盛り込
まないままの学生も見られた（当然これは致命的な問題である）。プリテスト後
に各学生に分析計画を最後に発表させた際に気づいたので、修正を指示でき
たが、本来これはプリテスト前に行わなければならなかった。

　第3に、班形式での学生同士の相互指導があまり機能しなかった。操作仮
説に対応した質問が入っていない、などは班内での相互確認で防げると私は
見込んでいたが、相互確認を通じてそれは防げなかった[8]。

　第4に、仮説を立てる第4，5回や最終発表前の第13回に相談回を設けた
ものの、学生からの質問・相談がほぼ出てこなかった。質問・相談がないの
であれば成果物に問題がないかというと、必ずしもそうではなかった。その
後の最終レポート・発表の出来は個人差が大きく、中には単位を出すことが

出来ないレベルのものもあった。具体的には、仮説に対応したデータ分析の結果（クロス表など）を載せないままに、仮説通りであったと考察を書いているものなど、到底看過できないものがあった。また単位取得の水準に達していたレポートでも、クロス表の解釈にはあやしい部分も多く見られた[9]。

　これらの原因を推測するに、教員による到達目標の明示が、不十分であったと考えられる。先に紹介した「社会統計学」や「データ分析アドバンス」では、その時間、あるいは授業全体での到達目標が明確であり（例題は答えまで記してあり、ワークも例題と同様に進めればよいようになっていた）[10]、期待水準に達していない場合、学生もそれを自覚して質問をしやすかったのではないか。それに対し本授業では、到達目標を十分に学生に伝えることができておらず、そのため、不十分な出来にもかかわらず「これで良い」と学生が考えてしまったのではないかと推測される（唯一、具体例を多く提示したワーディングについては、学生は相互批判と改善を行うことができていた）。

　最終レポートの出来が、期待水準に達しなかった学生については、「再試験」とし、再提出をさせた。すると学生は概ね単位を出せるレベルまで仕上げてきたし、中には、初めの時点で提出されていればA評価（80点以上）であるような出来に到達するものも見られた。他の授業の課題が重なり仕上げる時間が不足していた可能性もあるが、到達目標が不明確だったことも一因として考えられる。

　なぜ到達目標がうまく伝達できなかったのだろうか。原因としては次の3つが考えられる。

　第1に、履修者にとっては、2年生の春学期で「社会統計学」と同時の履修であったことが影響したと考えられる。調査票の設計を行う際は、行う分析まで予めイメージしておくことが重要である。しかし彼らにとっては、分析の仕方もまだ習い始めたところで、分析をしやすいデータ（それを得るための質問や選択肢の作り方）、というのがまだイメージしづらかったと考えられる。これが、先に挙げた、仮説と調査票の質問項目が対応していない、という状態が教員が指摘するまでそのままになったことにつながった可能性がある。場合によっては本科目を2年の秋学期にまわし、「社会統計学」を履修・単位取得済の状態で履修できるようにしてもよいかもしれない。

　第2に、模範となる成果物を見せなかったことだ。本や論文を読ませる時間は設けたが、それらは、本授業の最終レポートとは執筆や分析の形式が異なる。問題関心を得るのには役立つかもしれないが、どのような質問項目をおけばどのような分析ができるようになるのかが、読み取りづらい文献もあっただろう。そこで、比較的簡単な2変数のクロス表などを提示している調査報告書を講読することも、ありうる授業の進め方だと考えられる（ただしその場合、個人ごとの問題関心を練り上げるために割ける授業時間は減ってしまうが）。

　第3に、質問をしやすい教室の雰囲気づくりが、うまくできなかった可能性がある。主観的な印象となるが、発表などでも、学生には友人の前で恥をかきたくないという意識があったように思われる。これをいかにやわらげるかや、初めてなのだからうまくいかない点が出て当たり前という意識を持たせることも課題だろう。

　以上となるが、学生は難しい中、よく取り組んでくれたと考える。学生のレポート、調査票と単純集計については、ぜひ調査報告書をご覧いただきたい。

5　結び

　以上、社会情報学科の3つの統計・データサイエンス科目の実際の授業について紹介してきた。これらの授業で感じた手ごたえをまとめると、学生は比較的主体的に学んでいたように思われる。また、少なくても2変数の関連などの基本的な分析は、しっかりと理解した上で自力でできるようになっていた。一方で、どのような変数を用いれば「面白い」分析になるのかや、第3変数の統制が絡む分析結果の解釈の仕方については、もう一歩補助が必要そうであった。また、教室での学生間の教え合いが機能すれば、受講人数が増えても実習形式での授業は可能であった。ただしこれを機能させるためには、具体的な到達目標を分かりやすく伝達することや、失敗を恥とみなさない文化を醸成することが重要であるように思われた。

　最後に、教員側で課題のレベルを下げることなく、それに対する学生の挑戦を明るく後押しするという教育の基本は、統計教育においても変わらない

と筆者は考えている。分析がうまくできた時や、報告書を受け取った時の学生の笑顔は忘れられないものとなっている。

注
1　例えば、正規分布の説明の際に、生物の体の大きさなどよりも、中心極限定理こそが統計学にとって重要だという話は、その後の学びの入口になった。
2　Microsoft Excel を用いた理由は次の5つである。第1に、規定のコマンドで結果を一発で出してくれる統計ソフトと比べ、Excel では計算式を多少自身で入力する必要があるが、これがかえって、統計学の初学者にとっては、講義部分と実習部分を結びつけて理解する助けになると考えられるからだ。第2に、本授業で行う第3変数による統制までの単純な分析であれば、Excel の標準の機能のみで対応可能であること、第3に、本学学生は無料で使用可能で、他授業でも使うことが多く、インストールトラブル等も少ないこと、第4に、学生自身の PC を用いれば、履修者数について PC 教室定員等の制約を受けないこと、第5に、卒業後、統計ソフトウェアがない環境にいたとしても授業で習った分析を行えること、である。
　　　他方で、Excel を用いた場合の難点としては、第1に、コマンドがシンプルな統計ソフトと比べ操作がやや煩雑であるため、フィルタのクリアし忘れなど、本質的な理解とは異なる部分での操作ミスが結果に影響してしまうこと、第2に、後々より高度な分析を行うようになる場合、Excel と別の統計ソフトの操作法をそれぞれ覚えるのが非効率になるおそれがあること、がある。
　　　第1の難点は、学生のレポート課題の採点の際に悩みをもたらすものとなる。つまりレポートの形式や分析手順は合っているのだが、提示されている分析結果（数値）がデタラメである場合、それをどのように評価するか、という問題が発生する（もちろん、R などの統計ソフトを用いる場合もそれは起こりうるのだが、Excel の方が操作ミスや転記ミス等によりそれが起こりやすいと考えられる）。これについては、授業中に、結果を確認する際に合計欄も必ず確認するようにすること（ケース数の不審な減少などからミスを発見できる可能性がある）を学生に伝えておき、レポート全体を通じて数値がおかしい場合は、この確認を怠ったものとして大幅に減点する（単位取得のためには、再計算と再提出を求める）という形で対処した。やや厳しい対応となるが、このようにしないと、実際に分析を行わずに考察から逆

算し架空の数値を捏造するということもまかり通るようになってしまう。これは
データサイエンス教育で避けなくてはならない事態であるため、分析の数値が合っ
ていることも重要な評価要素とし、Excel の操作ミスにはくれぐれも気を付けるよ
う学生に伝えた。

3　この対策として、Zoom 主体の授業であった1年目は、平常点の一貫として、授
業中に全体の前で質問をした学生には「質問点」を付与する制度を設けた。この結
果、筆者の他の授業と比べると、質問は多く出た。

4　なお参考書としては、Excel の操作と記述統計学の復習については廣瀬・寺島
(2010)、推測統計学の知識については、Bohrnstedt & Knoke (1988=1999) を学生
に紹介した。

5　特に Windows でのインストール時のエラーへの対処の仕方については、矢内勇
生先生ウェブページ上の資料「R と RStudio のインストール方法の解説」（矢内
2022）が大いに役立った。

6　参考書としては、盛山 (2004) を学生に紹介した。

7　もちろんこの方針には是非もある。ただし社会学的な量的調査の基本の型の1つ
を身に着けさせるため、指導した。

8　これは班内での相互批判を通じ改善を目指すことを教員が十分に伝達せず、単な
る班内での共有、と学生がとらえてしまった可能性がある。一方でプリテストにつ
いては、全体での相互コメント（Google ドキュメントの共同編集で行った）で、教
員も気づかないようなコメントも多く出て、ワーディングの改善に有益であった。
プリテストでは、批判と改善という主旨が明確で、かつワーディングについては、
履修済の社会調査法の授業などを通じ学生が到達目標を明確に理解できていたのか
もしれない。

9　第14回の発表へのフィードバックでこれらの点を指摘し、第15回の発表や最終報
告書に向けて修正をさせたところ改善したが、完璧な水準にまでは到達しなかった。

10　「社会統計学」では、最終レポートについても、別データを用いた昨年度の優秀レ
ポートを、氏名を伏せて初回に公開した。

〔引用・参考文献〕

Bohrnstedt, G. W. & D. Knoke (1988) *Statistics for social data analysis, 2nd ed*. Itasca:

Peacock，＝海野道郎・中村隆監訳（1999）『社会統計学──社会調査のためのデータ分析入門』ハーベスト社.）

廣瀬毅士・寺島拓幸（2010）『社会調査のための統計データ分析』オーム社.

石岡丈昇（2016）「参与観察」岸政彦・石岡丈昇・丸山里美『質的社会調査の方法』有斐閣，95-153.

目白大学社会学部社会情報学科「社会情報学方法演習2／社会調査演習」教員・履修者（2022）「目白大学社会情報学科生の生活に関する調査──2022年度社会情報学方法演習2／社会調査演習 報告書」

盛山和夫（2004）『社会調査法入門』有斐閣.

矢内勇生ウェブページ（2022）「RとRStudioのインストール方法の解説」https://yukiyanai.github.io/jp/resources/　（2022年10月20日取得）

第2特集：社会情報の諸相

第7章　大学で世界をこれまでとは違った　　　角度から考えるための方法

廣重　剛史

はじめに

　皆さんは右の写真を何の写真
だと思いますか？　授業で聞く
と「ゴミの山」や「がれき」と
いう答えが多く返ってきます。
この写真はネット上に公開され
ているブログからお借りしてき
たものですが、そのタイトルは
「大槌町のがれき」です。2011
年3月11日に発災した東日本大

出典：井上（2012）

震災の被災地である岩手県大槌町で、2012年10月に撮られた写真だそうで
す。ブログの作者の方は、こうした写真をいくつか挙げたあと、最後に以下
のように締めくくっています。

　　　いまではぼろぼろのゴミにしか見えないがれきだが、大地震と巨大津波
　　　の直前まで、誰かのそばで暮らしを支えてきた物だ（井上 2012）。

　私たちの多くは普段、こうした写真や映像を見たとき、全体をひとくくり
にして「ゴミの山」や「がれき」として認識します。たしかに、「これは A
である」と、自分が見たものを一言で表現しようとするとき、その言葉が一
般的で、他に適切な言葉が見当たらなければ、その表現は「間違い」ではな
いでしょう。実際に上の引用のなかでも、「がれき」や「ゴミ」という言葉
が使われています。しかし、作者の方はそこからさらに、そのひとつひとつ
の「がれき」と呼ばれる対象から震災前の「誰か」に思いを馳せて、「大地
震と巨大津波の直前まで、誰かのそばで暮らしを支えてきた物」だと、「が

れき」を別の見方、別の表現で捉えなおそうとしています。

　しかしながら、この「がれき」のなかには、たとえば震災前からすでに海底深くに沈殿していたものなどがあるかもしれません。その意味で、この「誰かのそばで暮らしを支えてきた物」という表現は、「事実とは異なるもの」が含まれている可能性があり、その意味で不正確です。したがって、もし「この写真は何ですか？」とテストで問われたならば、「がれき」という解答は○で、「誰かの〜」という解答は×、良くて△です。けれども、私たちが生きているこの社会で、たとえばこの写真の場所の近くにお住まいの被災者の方が、津波で流された自分の家の痕跡を、他人からただ一言「がれき」や「ゴミの山」と片付けられてしまったときの気持ちを考えるとどうでしょうか？

　「がれき」という表現は間違いではなく、「誰かのそばで暮らしを支えていた物」という表現は間違いを含んでいるかもしれませんが、どちらの認識がその物と状況を一段「深く」捉え、「思いやり」があるものかは明らかでしょう。このように、実際の社会では、正確な解答がコミュニケーション上の正解にはならない場合があります[1]。

　いずれにせよ、ここで注目してもらいたいのは、このように私たちは同じものを見たときにも、見方によってその対象を「違う意味」として捉えることができるという点です。社会のなかに大学が存在する意義のひとつに、「世界をこれまでとは違った角度から考える訓練を積む」という使命があると私は思います。現代社会が抱えるさまざまな課題に対して、これまでとは違った角度からその問題にアプローチをすることで、私たちが住む世界を少しずつ「良く」していく、その可能性を広げるのが大学の社会に対する大きな役割です。そのように考えると、上で述べたような、同じものを別の見方で「違う意味」として捉える方法や考え方を学ぶことは、どんな学部や学科にも共通する、大学での学びの土台になるものだと考えられます。そのため本稿では以下、この「ものの見方や考え方」そのものについて考える「現象学」という学問を頼りに、私たちのものの見方を変更する方法について、いくつかの事例を検討しながら考えていきたいと思います。

1　原発事故とコロナワクチン

　ここでも東日本大震災の話からはじめたいと思います。今ではマスコミでも取り上げられることが少なくなりましたが、2022年8月現在、福島第一原発の事故処理は今なお解決の目途さえ立っているとはいえません。この人類史に深く刻みこまれた出来事は、人間が完全にはコントロールできない科学技術に、私たちの生活が大きく依存してきたことを白日の下にさらし、人びとに大きな不安を与えました。しかしその後、福島の問題が解決されていないのにもかかわらず、日本政府は電力不足や、ロシアのウクライナ侵攻の影響による発電コストの急騰などを理由に、なし崩し的に再稼働する原発を増やそうとしています[2]。このように、人間が科学技術を道具として使うというよりも、むしろ一度作り出した技術そのものによって人間が（経済的な）発展や（自然の）開発に向けて駆り立てられているような事態を、ハイデッガーという哲学者はすでに1950年代の技術論のなかで指摘しました[3]。

　それでは、この問題を今回の新型コロナウイルス感染症について考えてみるとどうでしょうか？　たしかにワクチンが開発され、多くの人びとが接種したことの影響なのか、2021年の秋ごろは劇的に感染者数が減り、また22年8月現在、第7波が猛威をふるっていますが、重症患者は以前と比べて非常に少なくなっています。このことは、最新技術を投入したmRNAワクチンという医療技術によって、世界を危機に陥れたウイルスを人間が一定程度コントロールすることが可能になったということの証なのでしょうか？　しかし、見方を変えれば、いくつかの大手製薬会社が開発した新しいワクチンを政府が巨額の国費によって購入し、人びとはそのワクチンという医療技術とシステムに駆り立てられているようにも見えてきます。

　このように原発や新型コロナの状況を見ていると、原発は確かに危険だけれども、事故後は安全に管理できるようになったのか？　あるいは小型原発という新技術で状況は改善するのか？　新しいワクチンは本当に安全なのか？　どの学者の言っていることが本当に正しいのか？　現代の科学技術に関して、その筋の専門家でない私たちには正直「わからないことだらけ」です。そして、本来であれば「わからないこと」があれば、可能なかぎり自分で調べて納得できる解答を探すことが必要であり、大学はその能力を育む場

所だともいえます。しかしながら、実際には「わからないこと」があまりに
膨大であり、また日々の生活に追われるなかで、多くの人びとはとくに自分
でその安全性やリスクを検討することもなく、誰かに言われるがまま、ある
いは「皆がやっているみたいだから」と、自分の生き方の判断を他人や社会
にゆだねているように思われます。それは国政選挙の際の投票率の低さひと
つを見ても明らかでしょう。

　けれども、ここで「国家権力に飼いならされ、現代の政治経済システムに
盲従する大衆よ」と憤慨し、投票率の低さを嘆いてみても、私たち自身がそ
の大衆である以上、問題は何も解決しないでしょう。それよりも有意義なこ
とは、現代の科学技術を産み出すための知識体系を提供している「科学者」
という専門家の視点の大きな特徴や傾向を考えてみることで、私たちがどう
いう視点やものの見方を受け入れて、自分の人生の判断をおこなっているか
を知ることではないでしょうか?

2　科学的な見方と日常的な見方

　現代社会において、私たちが否応なくその影響を受けている「科学的なも
のの見方や考え方」の特徴はどのようなものでしょうか?　もちろん、個別
の学問分野において、その分野でのセオリーや、前提としている視点や必須
の知識などが異なるのは言うまでもありません。しかしながら、まさにその
「特定の分野での知識のつながり」こそが、一般的な意味での科学の特徴だ
ということができます。もう少し正確に表現するならば、科学とは「ある特
定の分野に関する客観的な知識の体系」だということができるでしょう。

　この定義のなかに含まれている「特定の分野」「客観性」「知識の体系」と
いう3つの要素について、私たちの日常生活と比較してみると、より科学的
な視点の特徴が明確になります。たとえば社会科学には経済学や政治学、法
学などがありますが、私たちの生活はいつでもそれらの領域すべてに関わっ
て全体的な生活を送っています。たとえばそれは、働いて賃金を得るという
「経済」活動のなかに、毎年の最低賃金を決める「政治」的判断と、決まっ
たあとそれを事業者に守らせる「法」制度が不可分に関わっているようなも
のです。しかし科学は「特定の分野」に関する専門的な知識をさらに分析し

て知見を積み重ねたり修正したりしていくため、どうしても他の分野との関係に関する考察は二の次になります。すなわち、科学は「私たちの日常生活の一面を切り取るもの」だというのが、その第一の特徴です。

　二つ目の「客観性」という言葉は、大学に入るとよく聞く言葉のひとつです。「客観的に記述しろ」「客観的な根拠を示せ」あるいは「自分を客観視しろ」などなど。大人になるということは、自分の気持ちだけを相手に押し付けるのではなく、自分を第三者の視点から眺めるように把握し行動することだという意見もよく耳にします。つまり「客観的」とは、第三者から見ても理解できるような、という意味であり、とくに科学の客観性とは、その結論に至ったプロセスを、第三者がその根拠を用いながら論理的に追跡可能だ、という意味だといえるでしょう。

　それでは、この「客観的な見方」は私たちの日常生活ではどのように位置づけられるでしょうか？　すでに上段で指摘したように、大人になると、とりわけ組織で働くようになると、当然のことながら自分の気持ちだけを押し通すわけにはいかず、第三者から見て理解できるような態度が最低限求められます。大学でも、たとえば授業中に寝ることは、教員だけではなく真剣に受講している学生にも不快感を与える行為であり、その可能性を考えずに自己の欲望のままに寝ることは、自分を客観視できていない子どもだと見なされます。もしそのような行為を会社で行ったら、当然待遇や賃金などの面で制裁を受けるでしょう。その意味で、私たちは日常生活においても、とくに公的な場面においては「客観的な態度」が求められることが多いといえます。

　しかしながら、たとえば家族や恋人など、非常にプライベートな関係のなかで客観的な態度を取ってしまうと、今度は逆に「態度が冷たい」と捉えられ、その関係のなかでまた別の制裁を受けることにもなりかねません。つまり、日常生活においては主観的な見方と客観的な見方が混在しており、パブリックな場面では通常は客観的な態度が求められるといえるでしょう。そして、その主観的な見方を極力排し、第三者が確認できる根拠をもとに論理的に提示していくと、科学的な客観性に近づいていくのだと考えられます。

　それでは最後に、「知識の体系」とはどういうことを意味しているのでしょうか？　そのひとつは「実践」との関係でしょう。科学においても実験や

フィールド調査などの実践は多くの分野で不可欠な要素ですが、たとえそうだとしても、それを実践のままにとどめず文章や数値化によって「知識」として記録に残すことが科学の本質的な役割です。そして、その知識が単独のものではなく、過去の知識にさらに新たな知識が加わったり、過去の知識が修正されたりして一連のつながりや体系、つまりはひとつの世界（意味連関）を形成していることが科学の大きな特徴だといえるでしょう。たとえば日常生活と対比すると、日常生活においては生命の維持・発展のための活動が本質であるかぎり、知識よりも「実践」が主体となります。そして、私たちが生きている「この世界」は科学的な世界とは異なり、相対性理論をもとに原爆が作られれば、広島と長崎で数十万の人間が一瞬で命を落とす「生命の世界」です。現象学の創始者である E. フッサールはこれを「生活世界（Lebenswelt, life-world）」と命名し、その現象学を社会学に応用した A. シュッツはこの生活世界を「至高の現実（paramount reality）」と呼びました。

3 科学の発展と社会の幸福

　以上のことを整理するならば、科学的な見方とは、私たちの全体的な日常生活の一面を切り取って、その分野に関して第三者から見て論理的に追跡可能な知識の集積により、一定の世界像を提示するものだといえます。自然科学であれ社会科学であれ人文科学であれ、自ら「科学」を標榜する学問であるならば、ほとんど上の定義を共有できると思います。そして話を戻せば、こうした科学的な見方と知識を応用して日常生活に役立てた道具が科学技術であり、現代の私たちの生活は、その科学技術の成果に取り囲まれ生きているといえます。ということは、その科学技術は、上の定義の延長線上で考えるならば、「日常生活の一面をもっと便利にするために、誰でも習熟すれば使える技術の高度な組み合わせによって、私たちの日常生活の可動範囲を広げ、新しい世界を拓くもの」だと説明することができます。

　たとえば産業革命の原動力のひとつとなった蒸気機関は、水が水蒸気に変わる性質（科学的な知識）を利用して、シリンダーの中でピストン運動を起こし車輪を回転させる技術であり、これによって蒸気機関車や蒸気船（江戸時代の日本から見れば「黒船」）が生まれ、どれだけ世界を変えたかは、あらた

めてここで確認するまでもないでしょう。また、社会科学においても、たとえば「自由経済が発展すると有効需要不足に陥る」というケインズの知見をもとに、これを社会保障政策や低金利政策、公共事業などによって有効需要を喚起するという、ケインズ主義的な福祉国家政策へと応用することも、科学技術のひとつだと捉えられます。そして、その政策が第二次世界大戦後の世界を大きく変えたこともまた、科学（的知見をもとにした政策）技術による新しい世界の開拓といえるでしょう。いや、もっと直接的には、現代の医療技術の発展により死の定義そのものが変わり、脳死による臓器移植が可能となったことほど、私たちの、文字通り生死を変えるほどの世界の変容はないかもしれません。

　そして、こうした「科学的な見方」を身に付けるために、現代社会に生きる私たちは、人によっては幼児教育の段階から、小学校、中学校、高校、そして大学と、その視点の基礎となる、科学に裏付けられた知識を教え込まれていきます。もちろん、学校教育がすべてそのような科学的知識を植え付ける教育だけだというわけではありません。しかし実際に、私たちの日常生活には、とりわけ学校教育を介して、「科学的な世界の見方」が入り込んでそれが支配的になっています。しかしながら、すでに「客観性」のところで確認したように、科学的な見方はあくまで日常生活の一面にすぎず、科学的な見方が必ずしも、私たちが日々生活を送る日常生活では正解とは限らないということです。

　また、科学的な知識とその技術的応用によって、私たちの生活はますます便利で豊かになっていくだろうと私たちは考え、そしてある面では実際にそうなりました。しかしながら、何らかの非常事態が生じたとき、現代の科学技術とそれを前提とした社会システムは、いとも簡単に私たちの生活や生命を奪ってしまうおそれがあるのだと、福島の原発事故は私たちに告げています。科学の発展がそのまま社会の幸福につながるかは、卒業論文でやみくもにアンケートやインタビューを取ろうとする「研究被害」を拡大しかねない最近の学生の傾向を見ても、まったく別の問題であることを私たちは肝に銘じる必要があると思います。

4　現象学的なものの見方

　さて、それでは大学時代に「世界をこれまでとは違った角度から考える方法」とは、上で指摘したような科学の危険性を十分注意しながら、一生懸命大学の勉強に励んでそれぞれの学問分野で優秀な成績を取ることなのでしょうか？　たしかに一方で、「日常的な見方」から主観性を排除していって「科学的な見方」を追求していくことは、「世界をこれまでとは違った角度から考える方法」のひとつです。しかしながら、本稿が基礎にしている「現象学」という学問を提唱した E. フッサールという哲学者は、それとは真逆の方法、つまり科学による「主観性の排除」ではなく、まず「主観性を徹底的に考え抜く」という作業が科学の正しい発展のために必要であるし、また何よりも私たちの人生において決定的に重要だと主張しました。

　なぜその作業が重要かといえば、私たちが「科学的なものの見方」を教えこまれてきたなかで、自分自身の日常生活に関することまでもが、どこか「他人事」のような、第三者的な視点によって捉える見方が支配的となってしまっているからです。しかしながら、私たちの人生において重要なことは、まさに「私や私たちが重要だと思う」という、私たちの主観から生み出される価値判断ではないでしょうか？　この点に関して、科学は「主観性を排除する」ことで成り立つという性質上、この私たちの「主観的なものの見方」を、私たち自身の主観の側からいわば「内観的」に考え抜くという方法を取ることはできません。そのため現象学は、「日常的な見方」から「科学的な見方」に一直線に進むのではなく、「日常的な見方」から、まずはその「私（たち）の日常的な見方を、私（たち）自身がどのようにして作り上げているのか？」という見方に進むことを主張しています。

　たとえば、もう30年近く前になりますが、私は大学受験に失敗して一浪しました。そのとき私は「高校を卒業して大学に現役で入る」という「これまで当たり前だと思ってきたこと」が崩れました。そのとき、「なぜ大学に行く意味があるのか」と考えることを迫られました。ここでたとえば私が「大学は一般的に見て就職活動の際に有利になるから」という見方をとれば「科学的」ではないですが「客観的」な見方だといえます。これに対して、「自分の興味がある世界経済の動きを知りたいから」という見方をとれば、主観

的な見方になります。このように、大学に行く意味もまた見方によって変わります。そして私が現在大学で接している多くの学生は、前者の就職活動を意識して大学に行くことを選択しているように見えます。しかしながら、客観的な見方だけでは一般論でしかありません。そのため「自分が何に興味を持ち、何が好きか」という主観的な気持ちを突き詰めないまま大学時代を過ごし、その状態で就職活動に突入するという、自分の人生をどこか他人事のように捉えてしまっている学生が少なくないように思えます。

　話を戻せば、「なぜ大学に行く意味があるのか」という問いに対して、上の２つの回答の仕方は、どちらも「大学に行く」ということを前提として、その意味を考えています。しかし現象学では「私はなぜ大学に行くということ（意味）を当たり前だと思っているのか」と、「大学に行く」という意味それ自体を問い直す見方をとります。もちろん私自身が浪人時代にこのような問い方をしたということではありません。実際に、当時の私は考えた結果、「大学は勉強しにいくところだ」と、答えにもならない答えで自分を納得させ、あとは受験勉強に集中しました。しかしながら、このようにこれまでの人生を振り返らざるをえないような出来事は、遅かれ早かれ誰にでも訪れると思います。そして、このような「別の自分でもありえる」と考える作業によって、いろいろな偶然や人との出会いによって存在している「今の自分の状況」に納得することもできると思います（もちろんそれは、今の自分に満足してこれ以上の成長を目指さないということではありません）。このように現象学は、私の日常が今まさに私の日常としてあることを、他の可能性を考えることで自分に納得可能なものとする見方を提供してくれます。

おわりに

　日常的な見方から科学的な見方に一足飛びに行くのではなく、日常的な見方をいったん中断して、一度「私の見方」を問い直してみること[4]。つまり、私が当たり前だと思っていることを、「なぜ、私はAを当たり前だと思っているのか」と、自分なりの答えが出るまで考えようとすること。それが現象学的なものの見方の第一歩です。たとえば上のAという部分にいろいろな出来事をあてはめて考えるだけで、世界をこれまでとは違った角度から考え

るきっかけが生まれてくると思います。

　目の前にあるひとつのサイコロを、私はなぜ「サイコロ（という意味）」として捉えているのか？　あるいはなぜ私は「がれき」を「がれき」だと思っているのか？　なぜ私は原発を安全、あるいは危険だと思っているのか？　なぜ私はコロナワクチンを安全、あるいは危険だと思っているのか？　なぜ私はプーチンを悪者、ゼレンスキーを英雄だと思っているのか？　あるいは「なぜ、私は私が正しいと思っているのか」など、現象学は無自覚に自らの正義を振りかざしてしまう危険性から、一度その判断を中止することによって、意識的に「別の可能性」を頭の中に作り出します。そのような訓練を積むことによってはじめて、私たちは少しずつではありますが、本当の意味で「他者と向き合う」ことが出来るようになっていくのではないかと思います。

　そして現象学は、このように目の前の出来事から「ものの見方」の問題を突きつめ、また展開していく過程で、現代の学問に多大な影響を与えてきました。ただし、現象学的な見方もまた、それだけで自己完結することはできません。実際に現象学者たちは、他の哲学はもちろんのこと、心理学や社会学、精神医学や地理学など、他のさまざまな科学的知識と積極的に対話するなかで現象学を発展させてきました。そういう意味では、科学的な見方、日常的な見方、現象学的な見方の三者それぞれが、互いを補い合う関係だともいえます。しかしながら、現代社会ではあまりに科学的な見方が支配的となりすぎていることを考えると、私たちは現象学や哲学の意義をもう一度よく考えてみる必要があると思います。そして何より、皆さんが認識している世界が、ただ一つの客観的な世界のそれぞれ異なる一部分であるというだけではなく、その「認識している世界」それ自体が、「当事者」である皆さんとの関係から生み出されている世界だということを、現象学は気づかせてくれます。

注

1　震災後初めて開催されたNHKの放送用語委員会（2011年7月15日）でも、震災報道にあたって「『がれき』という表現を使わないなどの配慮をした。被災した人たちの財産や思い出がつまったものを指して『がれき』と言ってしまうと、邪魔者とい

うニュアンスが出てしまうように思う。『壊れた建物』など、具体的に言いかえた」
　と述べられています（山下 p.94）。
2　岸田首相は2022年8月24日、既存の原発の再稼働に加えて、新型原発の開発につ
　いて検討を指示しました（朝日新聞、2022年8月25日朝刊1面）。
3　ハイデッガーは、1953年の講演「技術への問い」のなかで、現代の技術社会のな
　かで、人間があらゆるものを「役立てる」という観点から眺めるよう駆り立てられ
　ているという事態を指摘し、この現代技術の本質を「集立（Ge-stell）」と呼んでい
　ます（ハイデッガー p.31）。
4　現象学ではこの「科学的な見方」を「自然主義的態度（naturalistische Einstellu-
　ng）」、「日常的な見方」を「自然的態度（natürliche Einstellung）」、「現象学的な見
　方」を「超越論的態度（transzendentale Einstellung）」と呼んでいます。そして、日
　常的な見方から現象学的な見方へと態度変更するために、日常的な見方をいったん
　すべて中断させる作業を「判断中止」や「エポケー（Epoché）」と呼んでいます。な
　お、本稿を読んで現象学に興味をもった人は、私の論文「哲学史入門」（『社会デザ
　インと教養　ソシオ情報シリーズ16』三弥井書店、2016年）や著書『意味としての自
　然』（晃洋書房、2018年）、あるいは山口一郎『現象学ことはじめ』（日本評論社、
　2012年）、谷徹『これが現象学だ』（講談社現代新書、2002年）などを読んでみてく
　ださい。

参考文献

井上良太（2012年11月15日）「東日本大震災・復興支援リポート「大槌町のがれき」」
　https://potaru.com/p/100000011250（2022年8月9日）.
マルティン・ハイデッガー（2009年）関口浩訳『技術への問い』平凡社.
山下洋子（2011年）「『東日本大震災』の報道で注意した表現」『放送研究と調査』v.61
　no.7, 日本放送出版協会.

第8章　「絵本の持ち聞かせ」

宮田学　松岡陽　高橋伴奈　Shuman ZHU

はじめに

　日頃よく耳にするのは絵本の「読み聞かせ」であり、「持ち聞かせ」とは、絵本の楽しみ方の一つとして本稿で新たに造語・定義した用語である。読み聞かせは、話者が子どもと共に絵本などを提示し（見）ながら、音読する行為を指し、行為の主体は親などの話者となっている。一方で、持ち聞かせというのは、話者が絵本の文を読む（音声を提供する）だけで、子どもへ絵本の提示はしない。一般的には、持ち聞かせてくれる話者は音声を提供するだけなので、音声データがあらかじめ作成されていれば、子どもと一緒にその場にいる必要はなく、子どもは一人で音声データだけを聞きながら、子ども自ら「基本操作[1]」をすることで、絵本の楽しみを味わうことができる。下記、表1に「持ち聞かせ」と従来からの「読み聞かせ」の形式の違いを示す。

表1　持ち聞かせと読み聞かせの形式の違い

	持ち聞かせ	読み聞かせ
話　者	音声を提供するだけ。音声データが作成されていれば、その場所にいる必要はない。	音声を提供し、絵本を読者に提示する。子どもと一緒にその場所にいる必要がある。
子ども	提供される音声を聞きながら、主体的に基本操作をすることで絵本本来の楽しみを味わえる。	映画のように観賞する。絵本本来の楽しみは味わいにくい。
みんなで楽しむ	同時に楽しめるのは通常の絵本1冊あたり1人か2人。みんなで同時に楽しむためには絵本がたくさん必要となる。	話者が持つ絵本の絵が観え、話者の音声が聞こえれば何人でも楽しめる。一般的には同時に楽しめるのは通常の読み聞かせでは10人程度。比較的みんなで同時に楽しむことが容易。

1　絵本の特徴

1－1　視覚効果

　絵本には書籍としての基本操作（特に、ページをめくる方向）に依存した視覚効果（絵の方向性）がある。一方、絵本と類似したメディアである映画・アニメーションでは、この基本操作とは関係しないカメラワークの手法により映像や絵を作成・提示するため、絵本のような視覚効果はない。また、書籍としての基本操作が必要なコミックでもアニメーション同様カメラワークの手法により絵が作成・提示されること、さらには、1ページ当たりのコマ数がほとんど1コマである絵本に比べ、はるかに多いことから、同様に絵本のような視覚効果は基本的にない。

例．「はらぺこあおむし　エリック＝カールさく／もりひさしやく　偕成社[1]」では、「あおむしは左から右に向かって這って行き、成長していく。」つまり、基本的な方向性は「右向き（⇒）」である。同様に、「ぐりとぐら　なかがわりえこ作／おおむらゆりこ絵　福音館書店[2]」でも、同様に、ぐりとぐらは、左から右に向かって歩いていく。一方で、「トイ・ストーリー2（ディズニー・ゴールデン・コレクション⑭）、Disney/Pixar、永岡書店[3]」では、アニメーションの作画の影響を強く受けているため絵本本来の方向性は見られない。

1－2　三世代間・三重らせんによる楽しみ

　絵本は子ども／お母（父）さん／お祖母（父）さんの三世代間で一緒に楽しむことができる。また、自身の人生の段階においても、以下のような三重らせんとして楽しむことができる。

①一重らせん（子ども）：自分で一つの絵本を繰り返し、繰り返し、何度も楽しむ。

②二重らせん（お母（父）さん）：（自分が子どもの時に読んだ）絵本を自分の子どもと一緒に繰り返し、繰り返し、何度も楽しむ。

③三重らせん（お祖母（父）さん）：（自分が子どもの時や親になって読んだ）絵本を自分の孫と一緒に繰り返し、繰り返し、何度も楽しむ。

2　持ち聞かせについて

　持ち聞かせの特徴は、以下の 3 点が考えられる。

①読み聞かせの場合、行為の主体は話者であるが、持ち聞かせ行為の主体は
　子どもになり、子どもは主体的に興味を持つ絵本を選ぶことが可能とな
　る。絵本を選ぶ段階で、思考力を鍛えることが期待できる。

②場所や空間を問わず、親などの話者がいなくても、子どもは絵本を楽しめ
　ること。なお、音声データを利用することで、聞き取れなかった箇所や、
　好きな箇所を主体的に繰り返して聞くことが可能となる。

③音声データを 1 つ作成しておけば、全国の子どもに対してそのデータを利
　用して、持ち聞かせることができる。また、外国語に翻訳されていない絵
　本に関しても、該当の外国語による音声データが準備されれば、外国の子
　どもも音声データを聞くことで、日本の絵本を楽しめるようになる。

3　持ち聞かせの実践

　はじめに、絵本の読み聞かせは多様な側面をもっている。香曽我部・他は、
「絵本は、絵（視覚表現）と詩（言語表現）という、異なる二つの要素が互い
に調和統合した、本（書籍）という形態を持つ表現メディアである[4]」と定
義している。また、「絵本において、ページをめくることは、読者からの能
動的なはたらきかけとなる[5]」とあるように、絵本をめくる動作そのもの
がとても重要であることを明示している。

　ここでは、読者に「絵本のページをめくる」等の基本操作をさせた上で、
我々が音声のみを提供することで、読み聞かせではない「持ち聞かせ」が実
現できないか検討した。具体的に進めていく上では、まだ課題が残っている
が、以下、スマートフォンやタブレット端末に付属のカメラの動画撮影機能
を用いた持ち聞かせの実践について紹介する。

3－1　スマートフォンやタブレット端末を用いた音声データの作成

　音声だけの MP 4 ファイルとして、スマートフォンのカメラ機能の中に
ある「動画撮影」にて収録する。次に、録画した音声データを YouTube な
どのインターネット上のストリーミングサービスを利用して配信する。

3-2　オンデマンド型配信

　名刺サイズの持ち聞かせカード（QRコード）（図1）を作成し、絵本の所有者に配布、または、あらかじめ絵本に貼付し、読者が持ち聞かせを楽しみたいときにスマートフォンでYouTubeの限定公開音源にアクセスし、音源を聞きながら持ち聞かせを楽しむ。

わたしのワンピース

えとぶん＝にしまきかやこ

QRコード

こぐま社 1969年

図1　持ち聞かせカード（「わたしのワンピース[5]」）の例

3-3　音声データとページの同期

　音声データとページをめくるタイミングが同期していないと持ち聞かせの意味がなくなってしまう。

　①　「はたけの絵本、いわむらかずお、創元社[6]」

　筆者らの持ち聞かせの検討とほぼ同時期（2022/07/11）に「はたけの絵本、いわむらかずお、創元社」が出版された。縦書きの文字を右から左に読んでいく絵本の中に、QRコードを読み取ると朗読動画が再生される。絵本の見開きページ左下には、QRコードの表示がされており、読み取ると、その見開きの文の動画が再生される仕組みである。

　持ち聞かせは、絵本を手に持って読者が自ら基本操作をすることに意味があるとしている。そのため、音声データとページの同期は、この目的において不可欠である。持ち聞かせのように捲ることに重点を置かず、該当の見開きページだけ朗読によって聞くことが目的であれば問題はないが、物語を読んでいく上で、次のページに進む際に、読者に対してQRコードを読み取ら

表2　動物の鳴き声とページの関係、ページシール

ページ数	鳴き声	ページシール（例）
1（I）ページ	「ワン」	
2（II）ページ	「ワン・ワン」	
3（III）ページ	「ワン・ワン・ワン」	
4（IV）ページ	「ワン・ニャー」	
5（V）ページ	「ニャー」	
6（VI）ページ	「ニャー・ワン」	
7（VII）ページ	「ニャー・ワン・ワン」	
8（VIII）ページ	「ニャー・ワン・ワン・ワン」	
9（IX）ページ	「ワン・チュウ」	
10（X）ページ	「チュウ」	

せる作業が入り、読者の集中力が途切れてしまう可能性や、物語から一度離れさせてしまうことが持ち聞かせにとっては懸念すべき点になる。

　そのため、持ち聞かせにおいては、音声データとページの同期を図る工夫として、以下のような方式を提案する。この方式では、音声データを一括収録するため、集中力を途切れさせることはなく、物語から離れることもない。

② 　音声データとページの同期の方式
（前準備）読み聞かせの音声データの作成にあたって以下を規定しておく。
手順1：「お約束　動物の鳴き声（表2参照）が聞こえたらページをめくってね」
手順2：「はじまり　はじまり」
手順3：「タイトル→著者名→出版社」の順に読みあげる
手順4：ページをめくるサインの動物の鳴き声を入れる。

　　手順5：「物語を読み始める」
　　手順6：1ページ読み終わったら、次のページの動物の鳴き声を言って次
　　　　　　のページの物語を開始
　　手順7：最後「おわり」は言わない。物語が終わったらそのまま終了。

　③　動物の鳴き声と絵本のページの関係
　ローマ数字を動物に置き換え、ページの下に該当ページ数を表現する動物
のページシール（表2参照）を貼る。世界的に認知の高い動物を4つ選定す
る。4種類の動物の組み合わせでページ数の1ページ～89ページが表現でき
る。例えば、①イヌ（ワン）→②ネコ（ニャー）→③ネズミ（チュウ）→④ヒ
ツジ（メー）の4つの動物である。

3－4　音声録音の利点
　自身でページを捲ったり目で文章を追ったりすることが、視覚的刺激に繋
がり、自然と物語に入っていくことができる。また、親や祖父母においても、
子ども（孫）と「持ち聞かせ」を行うことで、子どもと一緒に物語に入り、
同じ時間を共有することができる。大人になると絵本に触れ合う機会が少な
いが、子ども（孫）と一緒に行うことでお互いに良い影響があるのではない
か。
　さらに環境面では、URLやリンク先を知っていれば誰でもどこでもアク
セスが可能になり、自分の都合の良い時間に「持ち聞かせ」が可能となる。
読み聞かせは、読み聞かせが開催されている場所に行かなければならない
が、「持ち聞かせ」は、仕事や家事の合間に、行うことができ、時間の有効
活用が図れるのではないかと考える。

4　もったいない絵本─不要になった絵本に付加価値をつけ再利用する

4－1　図書館の実態及び図書館数の推移
　2021年度現在、日本には公共の図書館は3400カ所存在する（図2）。2002
年度と比較すると、654カ所も増加していることが分かり、グラフを見ても

年々増加傾向がみられる。このグラフだけを目にすると、需要が求められ設立されていると思われるが、実際の利用客の推移を見ると、図書館の実態というのが見えてくる。

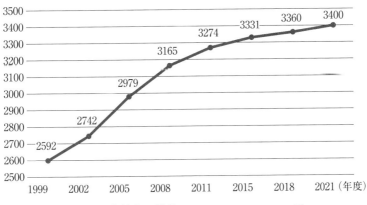

図2 図書館数の推移(出典：J cast 会社ウォッチ[7])

また、図3は、図書館当たりの利用者数と伸び率をグラフ化している。2004年度と2010年度に図書館の利用者数が増加しているが、他の年度では大きな上昇がみられず、低下していることがわかる。年々、スマートフォンや携帯の普及により、読書をする機会が減ったことや、ゲームや紙媒体以外での端末を使い、漫画や本が読めるようになったことも図書館を利用する人が減少した要因の一つと考えられる。

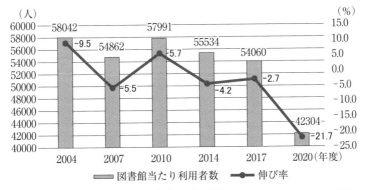

図3 図書館当たりの利用者数と伸び率(出典：J cast 会社ウォッチ[7])

　近年の図書館を利用する人は、週刊誌や新聞を読みに来る高齢者や、時間つぶしに利用する人が多く見受けられる。

　若者が利用しなくなった問題の一つとして、新刊が少ししか入ってこない、という意見もある。公共図書館というものは、限られた予算の中で本を入荷しているため、人気のある本をすべて入れることは難しく、また、予約をしても順番が回ってくるのが遅くなってしまう。このことも図書館を利用する若者が減少する要因である。

４－２　不要になった絵本に付加価値をつける

　上記で述べたように、公共施設の図書館というのは、予算が決まっている。その中で、新刊や児童書などをまんべんなく買わなければならないため、全てが利用者の希望が通らない。しかし、不要になった絵本を全国から回収し、それらを貸出ているのが「矢祭町もったいない図書館[8,9]」である。当館は、「もったいない精神」を大事にしており、平成19年1月14日に開館した。開館当初は、町民ボランティアが本の整理や運営を行っていたが、平成28年度から町の運営と変更した。現在、貯蔵されている本の数は、令和3年4月現在で479,062冊となっており、来館者数も109,841名となっている。矢祭では人口の8.2%にあたる約454名の方が年間利用している。図書館離れがみられるが、読書の推進をするために、現在でも新刊は過去三年以内のものから様々な分野の本を集め、町民を初めとし、貸し出しを行っている。

　不要になった本を家の中に置いて置くのではなく、集めることでさらなる意味を生み出し、多様な人や様々な考えに触れる機会と健やかな子どもの未来を育てる街づくりの役割を担っている。

5　日本独自の文化をそのままの形態で海外の子どもたちへ

５－１　絵本の魅力

　絵本は世界中にあり、「絵本」という大きな枠組みでも、絵を使ったもの、映画のワンシーンを切り取った写真を使ったもの、さらには風景や身近なものを映した写真を使ったものなど、様々な特徴がある。

　作者にとって、絵本の絵というのは言葉を補うものとしてではなく、細か

なところまでこだわって描いている。筒井頼子作、林朋子絵の「はじめての
おつかい[10]」の、最初のページでは、乱雑に散らかっている部屋にしか見
えないが、よく見てみると鍋から泡が噴出していたり、赤ちゃんが泣いてい
たり、おかあさんがどのくらい忙しくしているのか、どのような状況である
のかが細かく映し出されている。このように、絵本の絵というのは、親子の
やり取りと、忙しいという言葉だけでは表現しきれない部分までも表現され
ており、言葉だけでは想像できない子どもにとっては、理解することを手助
けする役割を持っている。この他にも、金の星社から出版されている新美南
吉作、いもとようこ絵の絵本、「てぶくろをかいに[11]」では、登場人物のき
つねはページをめくる方、つまり左側に顔を向けており、物語を読み進める
方向になっている。これが、縦書きで右開きの本がある日本の絵本の特徴と
いっても過言ではない。

　一方で、冒頭でも触れたように、映画のワンシーンを切り取った絵本もあ
る。永岡書店が出版している「ディズニー・ゴールデン・コレクション[3]」
では、言葉を補う役割として、映画のワンシーンを切り取ったものを本とし
て出版している。この場合絵本の進む方向と登場人物の因果関係は見られな
い。しかし、映画のワンシーンを切り取っているからこそ、一ページに複数
の写真を入れられ、情報をより詳しく入れることができる。

5−2　縦書きの絵本を海外に

　上記でも述べたように、日本独自の文化である縦書きの本は右開きである
ため、海外の絵本を翻訳して作ると、絵の意味が本来の姿と異なってしまう
ことがある。その一つにロイス・カリジェ文・絵「マウルスと三匹のヤ
ギ[12]」という絵本がある。この絵本は、マウルスがヤギを連れて山に散歩に
いくが、ヤギが迷子になってしまうという物語である。本来、ページをめく
る左の方向に動物の顔を向け、物語の進行を表現するのに対して、この絵本
では、右の方向に顔が向いている。右側に顔を向けていることで、読み手は、
前のページに顔を向けている登場人物に違和感を覚える。

　このように、絵本の魅力の一つとして、その国の文化や特徴など、物語を
通して知ったり、見たりすることができると考える。言葉は分からなくても、

絵の特徴や、音声をつけることでその文化や作者の思いまでも伝えることができると考える。

おわりに

　今後の展開において、インターネット上のビデオ会議システムを利用して「（みんなで楽しむ）持ち聞かせ会」の開催が考えられる。

参考文献

（１）エリック＝カールさく／もりひさしやく、はらぺこあおむし、偕成社 (1976)

（２）なかがわりえこ作／おおむらゆりこ絵、ぐりとぐら、福音館書店 (1967)

（３）ベティ・バーニートイ・ストーリー（ディズニー・ゴールデン・コレクション）、永岡書店 (1998)

（４）香曽部秀幸・鈴木穂波・前田梨花・豊川紗衣子、絵本を読むこと「絵本学」入門、翰林書房 (2012)

（５）にしまきかやこ、わたしのワンピース、こぐま社 (1969)

（６）はたけの絵本、いわむらかずお、創元社 (2022)

（７）図書館は増え、利用者は減る…いびつな「図書館離れ」　非正規職員は低賃金、課題は山積み　https://www.j-cast.com/kaisha/2022/08/08442827.html

（８）矢祭もったいない図書館　http://mottainai-toshokan.com/index.html

（９）「もったいない図書館」から子供たちの未来を育てる。本を通じた街づくりコーディネーター！　https://smout.jp/plans/3533

（10）筒井頼子作、林朋子絵、はじめてのおつかい、福音館書店 (1977)

（11）新見南吉作、いもとようこ絵、てぶくろをかいに、金の星社 (2005)

（12）ロイス・カリジェ文・絵、マウルスと三びきのヤギ、岩波書店 (1969)

注

1　「本を持つ・表紙を開く・ページを捲る・裏表紙を閉じる」ことを「基本操作」と呼ぶ。

第9章 リブランディングは何故行われるのか

長崎　秀俊

1　リブランディングとは

　現在、日常生活を送るうえで「ブランド」や「ブランド戦略」という言葉を聞く機会は多い。特に企業はニュース番組や雑誌記事、自社のウェブサイトなどで「ブランド」という言葉を使って自社の方向性や商品の価値を説明しようとしている。これはビジネスのゴールが「強いブランドを構築することである」という認識が浸透してきた結果でもある。1990年代後半、カリフォルニア大学バークレー校名誉教授のD.A.アーカーがブランド構築によるメリットを学術的にまとめ発表したことが始まりである。アーカーは、ブランドは企業にとっての資産であり、適切に管理することで長期に亘り企業にメリットをもたらすことを説いた。資産の内容とは、①ブランド認知、②ブランド連想、③知覚品質、④ブランドロイヤリティ、⑤その他の資産の5つの要素を示唆している。（表1）

表1　D.A.アーカーによるブランド・エクイティ（資産）の要素

	要　素	内　容
1	ブランド認知	顧客にブランドが知られているという価値
2	ブランド連想	ブランドから連想される様々なイメージ
3	知覚品質	顧客自身が感じる品質
4	ブランドロイヤリティ	ブランドに対する忠誠心
5	その他の資産	特許や商標権など

出典：D.A.アーカー「ブランド・エクイティ戦略」をもとに著者作成

　今回取り上げるリブランディングとは、企業が時間をかけて構築し資産化されたブランド・エクイティを一度崩壊し、そこからブランドを再構築する

ことを意味している。この分野での研究が長い Muzellec (2006) によれば「古いブランド名称が捨てられるということは、同時にその連想も捨てられるということである」と指摘している。これまでリブランディングは実務界でもアカデミックな分野でも、あまり注目されてこなかった。その理由として、ブランドは長く構築することで価値が蓄積されていくことが前提であり、構築したブランドを崩壊させるということは過去に費やした時間を全て無にしてしまうということを意味しており、ある意味タブー視されていたからである。例えると長い年月をかけて作られてきた鍾乳石を、根元から折ってしまうに等しい行為と認識されていたのである。

　しかし、実社会では意外にも多くのリブランディンが行われている。世界的に有名な成功事例として、世界最大手の米国物流会社フェデラルエクスプレスがフェデックスへリブランディングしたケースがあげられる。フェデラルエクスプレスを名乗っていた時から、顧客にはフェデックスの愛称で親しまれてきたことを重視し、2000年に社名をリブランディングしたのである。また日本にも成功事例が存在している。耕運機の製造で著名なヤンマーが、創業100年を期にリブランディングを実施している。もともとは世界で初めてディーゼルエンジンの小型・実用化に成功した先進企業であり、その後も農業機器だけでなく建築機械やマリンレジャー分野への事業拡大を実現させていた。しかし多くの一般顧客のイメージが「耕運機の会社」のままであったことから、エルメスのような会社を目指すべくコーポレート・ブランドを変更。耕運機のイメージを変えるべく、フェラーリのデザインを手がけた日本人デザイナー奥山清行氏に新たなデザインを依頼するなどして、方向性を転換し結果的にリブランディングを成功に導いている。

　一方で、リブランディングの失敗例も多く報告されている。マーケティングの教科書でも必ずと言っていいほど紹介されるのがコカ・コーラのニューコークへのリブランディング失敗例は世界的に知られている。他にも米国ジュースブランド・トロピカーナが2008年に行ったパッケージの大幅変更によるリブランディングは結果的に失敗し、売上を20%低下させ数か月後にもとのデザインに戻す決断を迫られている。パッケージ変更によるリブランディング失敗は日本でも例がある。2014年、森永製菓は主力商品であるイン

ゼリーのパッケージ変更を伴うリブランディングを実施したが、デザインの
大幅変更が顧客の混乱を招き、結果的に売上を大幅に減少させている。マー
ケティングやブランディングに優れている企業でさえリブランディングを成
功に導くことは難しいのである。

2　リブランディング研究で分かっていること

　欧州を中心とした研究者 Muzellec,Doogan,Lambkin (2003) らは、リブラン
ディングを「利害関係者の心の中にある差別化されたポジションを代表する
名前や競合他社とは異なるアイデンティティを、新たに構築すること」と定
義している。また企業のリブランディングは「組織の何かが変わったことを
ステークホルダーに伝えるためのシグナリング・デバイスである」とも紹介
している。また複数の研究者によりリブランディグにおける階層構造やメ
リット・デメリット、そしてリブランディグを発生させる駆動要因などが
徐々に明らかになりつつある。

（1）リブランディグの階層構造について

　Muzellec らの研究によると、リブランディグには3つの階層構造がある
とされている。第一の階層は企業レベルでのリブランディング、第二の階層
は事業ユニットレベルのリブランディング。そして第三の階層は製品レベル
のリブランディングである。（表2）

表2　リブランディングの階層構造モデル

階　　　層	事　　　例	変更理由
企業レベル	PHILIP MORRIS が Altria へ	タバコイメージからの変更
事業ユニットレベル	AIB が First Trust Bank へ	北アイルランド地区銀行の合併
製品レベル	ダイエットファンタがファンタライトへ	グローバルにブランドを統一

出典：Muzellec, L & Doogan M and Lambkin M (2003)CORPORATE REBRANDING をもと
　　　に著者作成

（2）リブランディングにおけるメリットとデメリット

　リブランディング実施のメリットについて、Muzellec (2003) が過去の論文をまとめている。それによると、Morris and Reyes (1991) が社名変更によって市場での認知度や地位が向上することを示唆し、Horsky and Swyngedouw (1987) や Dursun and Kilic (2003) は、社名変更後の企業の株式市場価値上昇が企業側の最大のメリットと指摘している。一方でデメリットを指摘する研究者も存在する。Edmondson (2002) は、社名変更が従業員や馴染みの顧客を遠ざけることを指摘し、Perkins (1995) は、信用の失墜を招き、消費者の混乱を引き起こす可能性を懸念している。

（3）リブランディング発生の駆動要因

　前述の Muzellec (2003) は、リブランディング発生の背景には4つの駆動要因が存在すると指摘している。1つ目が、企業やブランドの所有構造の変化によるもの。2つ目が企業戦略の変更によるもの。3つ目が、競争力のあるポジションの変化によるもの。そして最後が、外部環境の変化によるものである。（表3）

表3　リブランディング発生の駆動要因

	駆動要因	具体例
1	所有構造の変化	・合併や買収 ・スピンオフや会社分割 ・非公開株から公開株へ
2	企業戦略の変更	・多様化や売却 ・国際化とローカリゼーション
3	競争力のあるポジションの変化	・時代遅れのイメージ ・市場での地位の低下 ・評判の問題
4	外部環境の変化	・法的規制 ・危機／大惨事

出典：Muzellec, L & Doogan M and Lambkin M (2003)
CORPORATE REBRANDING

3　日本型リブランディングを考える

　日本において、リブランディングを長年研究している専門家の存在は聞かない。そこで日本におけるブランド研究の第一人者とされる中央大学名誉教授である田中洋氏のブランドの定義から、日本型のリブランディングについて考えてみようと思う。世界的なマーケティングの第一人者として知られる P. コトラー教授はブランドを「個別の売り手または売り手集団の財やサー

ビスを識別させ、競合する売り手の製品やサービスと区別するための名称、言葉、記号、シンボル、デザイン、あるいはこれらの組み合わせ」と定義している。しかしこれではブランドがロゴや名称などの有形財だと誤認されてしまう。ここがマーケティング研究者とブランド研究者の意見の相違である。田中教授（2007）はブランドを「交換の対象としての商品・企業・組織に関して顧客が持ちうる認知システムとその知識」と解釈してみせた。交換とは商品と貨幣の交換であり、企業や組織への労働力提供と給与との交換を意味している。同じ排気量2000 cc の車でも、メルセデス・ベンツやＢＭＷのロゴが付いた車には人々は喜んで大金を払う。もっと身近な例を持ち出せば、人々はブラインドテイストではドートールとスターバックスとコンビニの入れたてコーヒーを識別できないのにも関わらず、高いスターバックスを好んでいることがあげられる。これこそが、顧客が交換の際に使用する認知システムとその知識の影響なのである。更に田中はブランドの仕組みを明らかにするため、３つの次元に分けて解説を行っている。（表４）

表４　ブランドの３つの次元

1	顧客の認知システムとしてのブランド
2	企業の知的財産としてのブランド
3	社会的記号としてのブランド

出典：田中洋（2017）ブランド戦略論

　１つ目が、顧客の認知システムとしてのブランドであり、前述の事例で説明したことである。２つ目が、企業の知的財産としてのブランドである。これは、第１節にて説明した D. A. アーカーによるブランド・エクイティ概念のことを示している。ブランドは適切に管理し、育成していくことで特許や商標権のような企業が保有する知的財産になるという指摘である。そして最後が、社会的記号としてのブランドである。田中はこれを社会的に共有化された「記号」と説明している。ある対象が記号であるということは、本来の文字通りの意味（アノテーション）のほかに、社会的に流通している意味（コンテーション）も存在していることを、メルセデス・ベンツの所有を例に解説している。メルセデス・ベンツの車が本来意味するところは、ドイツ製のセダン乗用車を意味している。しかし一方で「あの人はベンツに乗っている」という言い方は、効果で社会的に成功した人しか乗れない車ということを意味しているのである。

　今回はこの田中によるブランドの3つの次元に照らし合わせて、各次元ごとにリブランディングの事例とその原因の整理を試みた。

（1）　顧客の認知システムとしてのリブランディング

　ここで取り上げるのは、ブランドの顧客認知システム機能を活用してリブランディングが実施された事例や、その背景にある要因である。該当する事例として作業服などの製造販売を手掛けるワークマンや米国運送業のFedex、大正製薬の発毛育成剤のリアップなどがあげられる。これらのリブランディングが行われた背景には、既に顧客の頭に強く刷り込まれていた認知システムがブランドにネガティブな影響を与え始めた状況を回避するためという理由が存在する。

　まずワークマンの事例を見てみよう。もともと土木作業や農作業などの作業服メーカーとして1980年に群馬県伊勢崎市に1号店を開業したことからスタートしている。当初の対象顧客は肉体労働者のブルーワーカーであった。しかしその後、高機能で低価格な服がアウトドア好き顧客の間で評判になり、徐々に商品が一般顧客に受け入れられるようになっていった。ワークマン側も高機能性に加えてファッション性も取り入れた服を開発するようになり、その流れは加速化していった。しかし店舗によっては作業服しか取り扱わない店もあり、アウトドア用の服を買い求めにきた一般顧客が混乱を招く状況も発生していた。そこでワークマン側は、従来型の店舗ワークマン以外に、作業着に加えてファッショナブルな服も取り扱う店舗をワークマンプラスとしてオープンさせ、一般顧客が店舗を見分ける目印として一部の既存店舗をリブランディングさせたのである。この戦略は功を奏し、2020年3月期の決算で営業利益を前年比で41.7％も増加させている。取り扱い商品により一部店舗を一般顧客兼用店に改良し、利益を上げることに成功したケースである。しかしその後、ワークマンは新たなブランディングの問題に直面することになる。一般顧客にも浸透しつつあったワークマンの機能性アパレルがアウトドア好きの女子ユーチューバーの目に留まり、「＃ワークマン女子」というハッシュタグをつけてSNSに投稿された。その結果、アウトドアに興味のなかった女性達にまで高機能性アパレルブランドとしてマークワンの

認知が広がるようになっていった。その結果、それまでワークマンに全く縁のなかった一般女性客がワークマンプラスに大挙して押し寄せる状況が発生した。これをきっかけに従来からのブルーワーカー顧客から「汚い作業着で店に入りずらくなった」、「我々のワークマンが一般客に侵略されている」、「もう店舗に行きたくない」などの声があがり始めたのである。これが「俺たちのワークマン問題」と言われた次の企業危機であった。この問題に対応するためワークマンが行ったのは、一般女性顧客専用の店舗としてワークマン女子を新たにオープンさせることであった。これには従来型店舗をリブランディングするのではなく、新たに新型店舗をオープンさせる手法を採用している。（表5）

表5　ワークマンのブランド展開

	WORKMAN	**WORKMAN Plus＋**	**#ワークマン女子** WORKMAN GIRL
コンセプト	働く人に、便利さ	高機能×低価格のサプライズをすべての人へ	カコクな365日を、ステキに変える。
ターゲット	職人	職人＋一般客	一般女性客
商品割合	職人向け100％	職人向け60％ 一般客向け40％	一般客向け100％
ロゴ変更部分	（基本形）	ワードマークは維持 グラフィックをプラス	ワードマークも変更 グラフィックも変更 （従来ワードマーク付属）

出典：ワークマンHPをもとに著者作成

　ブルーワーカーなど旧顧客の記憶と強く結びついていたワークマン・ブランドへの認知システムを崩壊させることなく、新たな一般顧客へ別の認知システムを刷り込むべく彼らが決断したのが店舗のリブランディングであった。

（2）企業の知的財産としてのブランド

　ここで取り上げるのは、ブランドを知的財産として認識しリブランディングを実施した事例である。松下電器産業からパナソニックにリブランディングしたケースや、富士重工業からスバルへ変更したケース、グループブラン

ド全体をリブランディングしたダイワハウスのケースが該当する。

　2008年10月1日の日経産業新聞によると、松下電器産業という伝統ある巨大企業のリブランディングのきっかけは、ブランドランキングにて常にソニーの後塵を拝していたことだったと記されている。その原因が海外における社名とブランドの不一致による認知の低さと、信頼性の欠如であった。米インターブランド社の2008年版世界企業ブランド価値ランキングでは、ソニーが25位なのに対しパナソニックは78位。このブランド力の差が外国人持ち株比率にもみてとれる、と記載されている。東洋経済（2008）の取材に対し、パナソニックへのリブランディングを決断した当時の大坪文雄社長は以下のように発言している。「松下電器で5年、10年なり働いて、いろんな職場を経験した人間ならわかりにくいなというのは、みんな感じてるんじゃないか。松下電器、パナソニック、ナショナルという3つの名前があって」。日本では家電カテゴリーにはナショナル・ブランドを、オーディオ・カテゴリーにはパナソニック・ブランドを、そしてB2Bカテゴリーでは松下電器ブランドを採用していた結果、ブランドの蓄積効果が3分割されていたのである。それに比べて海外では、ナショナル・ブランドが使えなかったが故に、

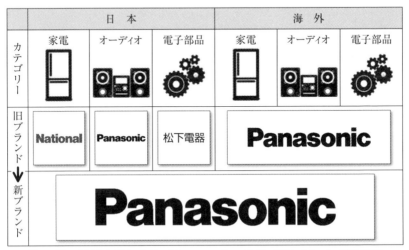

図1　松下電器産業によるパナソニックへのリブランディングの構造

出典：長崎（2016）「イラストで理解するブランド戦略入門」p.199

パナソニック・ブランドで統一展開されている状況であった。本社がある日本のブランド構造を海外に合わせるという変則的な形を承認しなければならないジレンマと共に、創業家の名前を消滅させることに対し、このリブランディングが実行されることは長年なかった。しかし2008年、松下電器産業は200億とも300億とも言われる費用をかけてこのリブランディングを実行したのである。（図1）

　決して松下電器産業という企業のイメージが悪かった訳ではないが、今後の企業努力の成果を1つのブランドに集約させ、企業資産として育成していくためにはブランドの統合という形のリブランディングが必要だったということである。富士重工業のケースも類似している。海外で「Fuji Heavy Industries, Ltd」の名刺を出しても相手にされないが、「ＳＵＢＡＲＵ」の会社だと説明すると喜んで商談の相手になってもらえたという。コーポレート・ブランドの資産として知名度のなかった「Fuji Heavy Industries, Ltd」を育成するよりも、既に高い認知度と信頼性を併せ持つ「SUBARU」へリブランディングした方が良いとの経営判断が行われた結果であった。

（3）社会的記号としてのリブランディング

　ここで取り上げるのは、ブランドの社会的記号としての価値を重視して実施されたリブランディングのケースである。日本たばこ産業からJT（Japan Tobacco）へのリブランディングや、トヨタ・ソアラのレクサス化などがあげられる。現在のコーポレート・ブランドJTの正式な企業名は日本たばこ産業である。JTを名乗る以前も、企業名としては日本たばこ産業が存続していた。しかし、対外的に露出するコーポレート・ブランドの見せ方を大きく変えている。もとはタバコと塩の専売を行う日本専売公社としてスタートし、1985年に塩の専売制度を廃止するとともに組織名を日本たばこ産業にリブランディングしている。これは事業内容の変更にともなうリブランディングである。では何故、日本たばこ産業は事業内容の変更がなかった1988年にもJTへリブランディングを実施したのであろうか。その答えは、社会的記号としてリブランディングを実施する必要性があったからである。石澤（2018）は新聞における「禁煙」記事の数と喫煙率の関係を分析し、記事数

増加にともない喫煙率低下が進んでいることを明らかにしている。特に男性
にける喫煙率の低減は著しいものがあり、1976年に75.1％だった喫煙率は
2016年に29.％まで45.4ポイントも減少している。因みに同時期の女性の喫煙
率は15.4％から9.7％へ僅か5.7ポイント減少している。（図2）

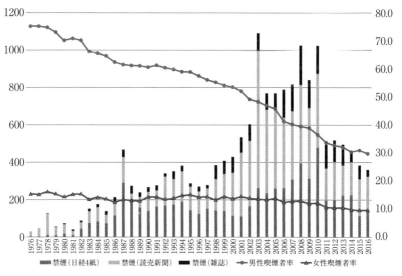

図2　新聞における禁煙記事掲載数と喫煙率の推移
出典：石澤泉（2018）「マクロ・ソーシャル・マーケティングに関する探索的考察」p.3

　もはやタバコ市場の大幅な縮小は避けられない状況にあると判断した日本
たばこ産業は、社名は変えずにコーポレート・ブランドをJTにリブランディ

	1949 年～	1985 年～	1988 年～
企業名(組織名)	日本専売公社	日本たばこ産業	
コーポレート ブランド	日本専売公社	日本たばこ産業株式会社	JT
事業内容	タバコ・塩の専売	タバコ・医薬品・食料品の製造販売	ピルズベリー食品事業取得、桃の天然水・ルーツ販売 etc

図3　日本たばこ産業のリブランディングの歴史
出典：日本たばこ産業のサイトをもとに著者作成

ングすることでたばこ専業イメージからの脱却を試みたのである。その後、たばこ産業からの収入減を補うべく、英国ピルズベリー社の食品事業部門を取得したり、飲料事業をスタートさせて桃の清涼飲料水や缶コーヒーを市場に投入している（図3）。

　嫌煙化の流れは日本独特のものではなく、全世界共通の現象である。特に世界最大のタバコ産業メーカーであったフィリップモリス・カンパニーにとっては死活問題であった。結果的に同社は2003年にアルトリア・グループという以前のブランドとは全く類似性の感じられない社名へリブランディングするという決断を行っている。ネーミング構造のみならず、ロゴのデザイン性からも新旧のブランドにあえて共通点や類似性を持たせない方向で開発されたことが伺える（図4）。

図4　フィリップモリス社のリブランディング
出典：Philip Morris International Inc. サイト、altria Group サイト

　このケースを分析した Muzellec, Doogan, Lambkin（2003）は、「フィリップモリスからアルトリアへの社名変更は悪いイメージを払拭するため、あるいは戦略的ポジションの変更を反映するために行われた。この社名変更は、タバコとの関係を断ち切り、幅広い消費者製品を扱う企業に生まれ変わりたいという願望に基づくものである」と指摘している。社会や環境の変化から強いネガティブ・イメージを抱かれてしまった企業としては、顧客の記憶をリセットすべくリブランディングを採用したケースが存在するのである。

4　総　括

　現代社会においてはあらゆる製品の品質レベルが均質化し、差別化が困難になっている。この商品の脱コモディティ化に対する解決策として注目されているのがブランド戦略である。マーケティング戦略の場合、製品自体の機能的価値に手を加えることを考えるが、ブランド戦略の場合は製品周辺の情緒的価値の方に手を加えることを主としている。そしてブランド構築には時

間がかかるが、一度強いブランドを構築できれば長期に亘り競争優位を築くことが可能になるのである。逆に、時間をかけて構築したブランドを変史することにより、それまで蓄積してきたブランドに対する認知度や信頼や親近感、そしてあらゆるポジティブな連想イメージというものを捨て去ってしまうことも意味している。

　しかしそれにも関わらず、一度構築したブランドを壊して新たなブランドを再構築するリブランディングを採用する企業が一定数存在する。日本経済新聞社の記事検索エンジン・サービス「日経テレコン」を使用し「社名変更」で2019年1月1日〜2021年12月31日までの3年間の検索をかけた結果、221件の記事による98社のコーポレート・ブランドに関するリブランディングが確認できた。これはリブランディングの階層において企業レベルにおける検索をかけた結果だけである。更に、事業レベルそして製品レベルまでを含めると数倍のリブランディグ実績が確認できるはずである。特に製品レベルでのリブランディングは企業レベルほどコストがかからない為、頻繁に行われている可能性が高い。

　一度構築したブランドが蓄積してきた価値を崩壊させてまで行うリブランディングであるが、それが採用されるのに主に3つの要因があることが分かった。①顧客の認知システムを活用したリブランディング、②企業の知的財産としてのリブランディング、③社会的記号としてのリブランディングである。ネガティブなイメージで捉えられるリブランディングであるが、必要とされる場面は多々存在していることも判明した。しかし未だ十分な研究が進んでいないのが実情であり、今度の積極的な研究の蓄積によりリブランディングがポジティブなイメージを持って語られる日が来ることを望んでやまない。

〔引用・参考文献〕

David A. Aaker (2009) Managing Brand Equity, Free Press ／陶山計介・中田善啓・尾崎久仁博・小林哲訳 (1994)『ブランド・エクイティ戦略』ダイヤモンド社

Muzellec, L & Doogan M and Lambkin M (2003) CORPORATE REBRANDING-AN EXPLORATORY REVIEW, Irish Marketing Review Volume16, No 2

石澤泉 (2018)「マクロ・ソーシャル・マーケティングに関する探索的考察」JSMD
　　Review 第 2 巻第 2 号
「パナソニック内向き決別　きょう社名変更」、日経産業新聞　2008年10月 1 日
田中洋 (2017)『ブランド戦略論』有斐閣

第10章　ウクライナ戦争の実相と日本の危機

林　俊郎

はじめに

勧善懲悪主義の危うさ

　情報衛生学という分野があることを最近知った。これを簡単に言うと、巷に溢れる恐怖情報の渦に翻弄されていたずらに心身を傷つけないための予防医学ということになる。溢れる情報と言えば今まさに勃発しているロシア・ウクライナ危機報道がそれであり、連日茶の間でむごたらしい動画を見せられていやが上にもプーチン大統領の悪行が人々に刷り込まれている。そうでなくても西側ではプーチンのロシアに対して、独裁国家、覇権主義国家、スパイ国家、暗殺・毒殺国家といった悪玉の印象操作が行われてきたこともあって、大多数の人々が躊躇することなくこの度のロシアの蛮行を100％絶対悪だと決め込んでこの国に対して厳しい制裁を課すことを求めている。

　しかしその判断は、はたして100％正しいと断言できるであろうか。私は、2004年12月にウクライナで起こったある事件「ダイオキシンによるウクライナ大統領候補暗殺未遂事件」の解明を行い[1]、以来この国の動向を注視してきたこともあり、一方的にロシアを糾弾する今の風潮に違和感を禁じ得ないでいる。この事件は暗殺に使われた毒物がベトナム戦争で悪名を轟かせたダイオキシンということもあり、国際ニュースとしてたちまち全世界に拡散して人々を驚かせた。しかし、この事件は単にウクライナ国内だけの問題ではなく、その背後で西側の工作組織が画策した「国際的科学スキャンダル事件」であった。西側のニュースは、これをあたかも親ロシア派の陣営が親米派の候補者の暗殺を企てた事件であるかのように伝えた。しかし事実はまったくその逆であり、西側工作員による親米派が不利な選挙戦を打開するために行った起死回生の自作自演劇であった。この事件を契機にウクライナを舞台

にした西側によるロシア封じ込めの工作は激しさを増し、いよいよこの国を
東西紛争に巻き込んでいった。

　この度のロシアのウクライナ軍事侵攻は国際法を無視した非人道的な蛮行
であるが、なぜロシアが同胞であったウクライナに侵攻したのか、あるいは
しなければならなかったのかを理解するためには過去の歴史的背景を知らな
ければ本当のところは分からない。

　日本の岸田首相は、ロシアのウクライナへの軍事侵攻に直ちに反応して問
答無用とばかりにロシアを強く批難するとともに、厳しい制裁を課すことを
国内外に表明するとともに、中国を名指しで牽制した。その結果これまで故
安倍元首相が築いてきたロシアとの友好関係は完全に壊れ、ロシアに進出し
ていた企業は多大な損害を被っているが、これらは止むを得ないことなのだ
ろうか。また、これによる中露とのさらなる関係悪化が、これからの日本に
何をもたらすのかを考えた時、安易な勧善懲悪主義の危うさを思わずにはお
れない。本章ではこのウクライナ戦争を通じて、今起こっている現象を正当
に評価するためには過去の歴史を踏まえなければならないこと、また行動に
移すためには近未来を視野において決断しなければならないことを考える機
会になればと思う。

1　真の悪玉は誰か

ことの発端はウクライナの NATO 加盟問題

　ロシアのウクライナへの軍事侵攻の詳細は後述するが、発端となった原因
はウクライナの NATO 加盟問題にある。NATO は1991年のソ連解体時の約
束である「NATO を拡大させない」を反故にして、旧ソ連圏のメンバーであっ
た国々を NATO に加盟させて勢力を拡大させてきた。そして、ついに中立
国であったはずのウクライナまでもクーデターを仕掛けて国民の総意で選ば
れた親ロシア派のヤヌコビッチ政権を倒して傀儡政権を樹立し、事実上の加
盟国にしてしまった。しかもその上に、あろうことか軍事顧問団と大量の武
器をウクライナに送り込んで東ウクライナのロシア系住民を迫害してロシア
を挑発する行動にでたのである。いよいよ強大な軍事力を誇る米軍を中心と
する NATO 諸国とロシア一国が国境を挟んで対峙することになった。ロシ

アの存続にとって絶体絶命の危機に起こしたのが今回のウクライナへの軍事侵攻である。これだけを見ても挑発されたロシアを一方的に100%悪玉と断罪することはできないだろう。実は東西冷戦時代にこれと同じことが東西立場を変えて起こったことがあり、あわや第三次大戦寸前までいった。

過去に起こった戦後最大の第三次大戦危機

　話は半世紀以上も昔に遡るが、1962年10月のキューバ危機では米国の目と鼻の先にあるキューバに同国と同盟国のソ連が核ミサイル基地の建設を始めた。これを察知した米国の当時のケネディー政権はキューバを海上封鎖して第三次大戦も辞さない覚悟でソ連艦隊と対峙した。あわや一触即発というところでソ連艦隊がUターンしたお陰で世界は戦後最大の危機を免れたのである。当時の米国の周章狼狽したあの「13日間のキューバ危機」を思い起こせば[2]、今のロシアの心境が少しは理解できるはずである。立場がキューバからウクライナに変わっただけで、局面はあの時となんら変わらないのである。

ウクライナは元々ソ連領

　ロシア革命によって1922年に成立したソ連は第二次大戦後にワルシャワ条約機構（WTO）の加盟国を増やしてNATOと対峙する強力な社会主義圏をつくり、世界に長く東西冷戦構造をもたらしてきた。やがて社会主義の計画経済が破綻して同機構は解体、この時にウクライナも他の加盟国とともに独立した。しかし、ウクライナは大戦後に半ば強制的にソ連圏に組み込まれた他のWTO加盟国と異なり、帝政ロシアの時代から小ロシアとしてロシアの一翼であり、ロシアそのものであった。実際にウクライナという国家は歴史的にもこれまで実在しなかったのである[3]。ウクライナとロシアの住民が互いに同じスラブ民族として分け隔てなく交流してきたであろうことは、WTO解体の立役者になった当時ソ連の最高指導者のゴルバチョフの母親や彼の婦人ですらウクライナ人であることからも窺われる。米国を中心とするNATOはソ連の崩壊を千載一遇のチャンスとばかりにソ連の弱体化を図り、その最も有効な一手がロシアからウクライナを引き離すことであった。この

電撃的な独立に困惑したウクライナの住民は少なくなかったであろう。不幸にもウクライナ国民はこの予期せぬ独立によって東西紛争の渦中に引きずり込まれることになったのである。ロシア語を話す住民の多い工業地帯の豊かな東部ウクライナと、ポーランドに面した必ずしも経済的に恵まれているとは言えない西部ウクライナの間に楔を打って内紛を仕掛けたのが米国を中心とするNATOである。過去のソ連とは見る影もなくなったロシアをなぜこれほどまでに執拗に追い詰めなければならないのか。この闇こそ最重要な課題であるが、これについては終章で触れることにする。

　先にロシアの悪評を列記したが、これは多分に事実であろう。しかし、米国の非道ぶりはロシアの比ではないかも知れない。ベトナム戦争、アフガニスタンへの軍事介入、イラク戦争、リビアのカダフィ政権の殲滅などその背後でどのようなことが行われてきたか。西側のほとんどの人々は都合の悪いそれらの所業は見て見ぬふりを決め込んできた。しかし、このことは東側のロシアや中国でも同じであり、平素から西側の悪行を刷り込まれてきた東側住民はこの度のロシアのウクライナ侵攻に肯定的であり、よほど自分たちに不利益が及ばない限り、たとえそれが国際法を無視した非人道的なものであったとしてもそれを見て見ぬふりを決め込むものだ。

東西民衆の意識対立の要因

　話がややそれるが、東西民衆の意識が極端に異なる要因について少し考えてみよう。人間ほど環境に順応しやすい動物はおらず、そのため自分が育ってきた社会を肯定的に受け入れがちである。それは重く大きい物質ほどものを引き寄せる力が強いという万有引力の法則に似ており、人間がもつ三大欲望の一つである帰属意識とも共通する。よく使われるものに「百人が言えばウソもホントになる」という言葉があるが、これが人間社会の現実であり、東西民衆の極端な意識の違いの要因でもある。そして「ウソをホント」にさせているものは真偽に関係なくただ情報量の多さだけなのである。よって人々はことの真実とは関係なく、情報量の多い方に引き寄せられて行動するのを常とし、それが社会の動きとなってやがて国を動かすことになる。ところが、メディアが発する情報は必ず意図的に選択されたものであり、バラン

スを欠くだけでなく虚偽のものや危ういものも少なくない。誤った情報に質す少数派の意見は、やがて大量の偽情報の渦に飲み込まれて消滅する運命にある。民度の高い国民とは、溢れる情報には一歩退き、少数の意見にも眼と耳を貸す冷静な人々を指すのではないかと考えている。なにしろ少数派の意見は、大多数の人が信じ込んでいる情報に異論を唱えるのであるから、よほど思い余ったうえでのことであり、それだけのエビデンスをもっているケースが多いのである。

火中の栗を拾った日本

　この度のロシアのウクライナへの軍事侵攻に対して、岸田首相は即座に反応してロシアを厳しく糾弾する声明を国内外に発しただけでなく、インドなどアジア諸国に直接出向いてロシアへの制裁を働きかけている。これは日本の歴史上でもかつてなかった異例の踏み込んだ首相発言である。NATOの加盟国でもない遥か極東のはずれにある軍事的にも極めて脆弱な島国の首相の行動に世界はとまどいを隠さなかった[4]。日本はどうやら、自ら火中の栗を拾い上げたようだ。この度の岸田首相の決断が日本の将来にとって吉と出るか、凶と出るかは分からないが、なにもこのような時に国を危うくするような賭けに出る必要はまったくないのだ。しかも反プーチンの大合唱に違和感をもつ者は私一人ではない。国際政治に精通している島田正彦はプーチンの蛮行を厳しく糾弾しつつも「ロシアは侵攻したのではなく、侵攻させられたのだ」と看過しているが[5]、私の知る限り歴史を踏まえた識者の見解は「プーチンは泥沼に引きずり込まれた」ということでほぼ一致している。また文化人類学者のエマニエル・トッドは「ウクライナ侵攻の責任はNATOと米国にある」と断言している[4]。この問題は背景がやや複雑なため、読者の方々の混乱を避けるために予め私の見解も述べておきたい。この戦争の責任は国際法を踏みにじってウクライナ領に軍事侵攻して同胞ともいえる多くのウクライナ人だけでなく若いロシア兵の血を流したプーチンにあるのは当然として、国民の生命と財産を顧みず東部ウクライナのロシア系住民を迫害して意図的にロシアを挑発したウクライナ大統領のゼレンスキーにも重い責任があり、おそらく彼らは戦後に国民から糾弾されるのではないだろうか。

しかし意外に思われるかもしれないが、何と言ってもこのウクライナ戦争は主にバイデン米国大統領によるウクライナ政策によるもので、より重い責任が彼にあると考えている。その理由はロシアの軍事侵攻を誘発させるかのように早々と米軍の不参戦を表明し、それまでウクライナで展開していた米軍の軍事顧問団を隣国のポーランドに撤退させるという直近の出来事からだけではない。詳細は後述するが、話は14年も前に遡る。彼はNATO拡大の超タカ派として知られ[6]、オバマ政権時代に副大統領としてウクライナ問題を担当し、当時の親ロシア派のヤヌコビッチ政権をクーデターで倒して事実上の傀儡政権を樹立するなど対ロシア工作を統括してロシアの解体に執念を燃やし続けてきた人物である[7]。そして、2021年に大統領に就任するや、それまでNATOがロシアの抗議を受け入れてウクライナの加盟を拒否してきた政策を一方的に破棄し、ウクライナに大量の武器と軍事顧問団を送り込んでゼレンスキーの東部ウクライナロシア系住民の迫害に加担して事実上の宣戦布告を行ったのである。ロシアを滅ぼすための道具として盾に使われ、多くの生命と財産を奪われたウクライナ国民にとって、バイデン大統領は戦後どのように評価されるだろうか。

2　宰相の資質

熱血漢溢れる首相の決断

　ウクライナにロシアが軍事侵攻（2022.2.24）から8か月が過ぎたが、この紛争は沈静化するどころか、これまで兵役軍人だけで戦っていたロシアはいよいよ一般国民に動員をかけて本格的な戦争態勢に入った。この戦争は単に隣国同士の争いではなく、ウクライナ国民を盾にした米国・NATOとロシアとの代理戦争であり、既に第三次大戦に突入したという深刻な見方すら出てきた。この本が刊行されるのは5か月後（2023年3月末）であるから、その間にNATOの結束や米国の支援体制がどのようになっているか戦況は全く見通せない。

　話を軍事侵攻開始時に戻す。国際法を踏みにじったロシアの蛮行に欧米の人々が強い怒りを表明したように、日本国民の82%がロシアに対する制裁を支持している（2022.3.12NHK調査）。国民の人気を最優先する岸田首相は、

NATO の首脳会合にオブザーバーとして参加してロシアへの断固たる制裁措置とその背後にいる中国を牽制した。なぜ当事国でもない遥か極東のはずれにある軍事的にも弱小国の日本の首相が NATO 諸国の首脳を扇動しなければならなかったのか。これほどまでに岸田首相を高揚させたものは国民の支持だけでなく、何よりもこれまでロシアと融和政策をとってきた安倍元首相に対する対抗意識があったとしたらどうなるだろうか。

プーチンを激怒させた岸田首相発言

　岸田首相はロシアとの貿易制裁、相次ぐ金融制裁に加えてソ連大使館員 8 名の国外退去命令までも断行した。しかしこの程度の制裁ではロシアにとっては痛くもかゆくもなく、むしろ被害を受けるのはこれまでに多額の投資をしてきた日本の多くの企業である。プーチンを激怒させた最大のものは制裁ではなく、手の平を返したように高飛車にロシアを罵倒する首相発言ではなかったか。先日モスクワ郊外で開催された国際ロシア専門家バルダイ会議 (2022.10.27) になぜかウクライナを除くと日本だけが呼ばれなかったようだ。この度の首相発言はこれまで培われてきたロシアとのささやかな友好関係を断ち切り、ロシアからは最大の敵対国に名指しされ、中国からも強い怒りを買ってしまった。早速始まった北方領土近海での中露合同軍事演習など相次ぐ威嚇的軍事行動や、ロシアの野党党首が「ロシアは北海道の権利を有している」という発言など、この国は西側諸国の中でロシアから最も敵視される国になってしまったようだ[8]。

　岸田首相は当事者国でもない日本が率先してウクライナ支援を打ち出した理由として、将来日本が周辺国から攻め込まれた時に NATO からの支援を受けるためと発言している。しかし、一旦ことが起こったら、支援を待つまでもなく都市部はことごとく壊滅状態になっているだろう。ましてや、アフガニスタンやウクライナを見れば分かるように頼りにする日米同盟も万能ではなく、同盟国のために自国民の血を流すようなことはしない。最悪、ウクライナのように武器を送られて日本民族が代理戦争の道具に使われることも覚悟した方が良い。ましてやウクライナ支援を声高に扇動した当事国の支援武器がヘルメットと防弾チョッキでは、たとえ日本に有事が起こったとして

もまともな武器を提供するはずはないのだ。それだけに戦争は何としても回避しなければならないし、侵略の隙や口実を相手に与えないことである。

　国際関係は、残念なことに正義が通用しない理不尽で冷徹・非情な世界である。

宰相の条件

　他人の領土に押し入って無垢の人々を惨殺するロシアの蛮行に憤りを感じない人はいない。しかし、そのような国民の情動のままに動いていたのでは一国の首相は務まらない。あらゆる方面から情報を集めて解析してその来たる由縁を評価するとともに、国の近未来を見据えて判断を下す冷徹で緻密な計算が必要である。そうでなくても非核三原則・専守防衛を国是としているこの国は格好の餌食であり、たった一発のミサイルで首都圏の機能は麻痺するほど脆弱な国である。

　NATOは決して一枚岩ではなく、ウクライナ戦争もこれから厳しい冬を迎えてどのように推移するか分からない。たとえこの先プーチンが倒れたとしても東側には目と鼻の先に日本を敵視するロシアが、北には反日を国是とする厄介な朝鮮半島、西には覇権を目論む中国と三方から挟まれた地政学的に世界で最も危うい国なのである。

3　世界に衝撃が走ったウクライナ大統領候補ダイオキシン暗殺未遂事件

すべてはここから始まった

　先にも述べたように2004年12月末にウクライナ大統領を決めるやり直し選挙戦の終盤に大統領候補の一人が敵側陣営からダイオキシンを盛られて危うく殺されかけたというニュースが世界中を駆け巡って人々を震撼させたことがある。年配の方であればこの事件を記憶されている人も多いだろう。世界中の人々をアッと驚かせたぐらいだから、ウクライナ国民が受けた衝撃は半端ではなかったのである。当時ではダイオキシンには致死毒性もなければほとんど発がん性や催奇形性もないことは専門家の間で常識になっていたが、一般の人々は一旦洗脳された恐怖情報の自縛から解き放たれることはなかっ

たのである。実はこの時点では誰も気づかなかったが、ウクライナの人々の持つ誤ったダイオキシンに対する恐怖心がこの国の運命を決定づけることになった。

利用される恐怖心理

　実は捏造されたダイオキシン恐怖情報に煽られて国を危うくさせたのはウクライナ国民だけではなく、日本国民も見事にしてやられたことがある。ダイオキシンについてほとんど知識のない今の若い人々にとっては思いもよらないことだろうが、25年ほど前にこの国で捏造されたダイオキシン恐怖情報に一億国民が煽られて全国いたるところで集団パニックが勃発した。そのどさくさに制定されたのがただごみを燃やすだけの大型焼却炉に莫大な血税を半永久的に注ぎ込む負の遺産と陰口を叩かれる「ダイオキシン法」である。これこそがバブル崩壊後の日本経済を衰退させてきた元凶の一つである[9]。話を戻そう。

国際科学スキャンダル事件に使われたダイオキシン

　このウクライナのダイオキシン騒動に疑念をもった私は、その後のウクライナの動向追跡してきた。その結果、このダイオキシン毒殺未遂事件は単にこの国の国内事件ではなく、その背後に米国を中心としたNATOの工作があることを知った。これまでウクライナについての研究論文は散見されるが、いずれも学術論文の特性からか過去の出来事を時系列に並べて表面をなぞったものが多く、その背景を掘り下げて事の本質を追求したものは見当たらない。ましてやこのダイオキシン大統領候補毒殺未遂事件についてはダイオキシンの「ダ」の文字ですら出てこない。しかし、ウクライナ問題はこの事件を契機に本格化したのであり、この事件のカラクリを解明することによりその後のウクライナの出来事の推移を見事に読み解くことができるのである。それではウクライナの建国の歴史から今日までを振り返ることにしよう。

核を放棄したウクライナの悔恨

　本来ソ連領の一部であったウクライナには数千発もの核弾頭が配備されていた他、重装備の武器があった。ソ連邦の解体はNATOにとっては願ったりかなったりで、この機に乗じて一気にロシアを弱体化させることを目論んだことは言うまでもない。その仕掛けの第一歩が、ウクライナをロシアから独立させ、武器をもたない緩衝地帯としての中立国にすることであった。

日本を模倣した平和主義ウクライナ

　ウクライナには一国を統治した歴史も経験もなく、哀れにも日本に倣って非核三原則、平和主義の中立国を国是とした[10]。核はすべてロシアに撤収させ、武器は中国や北朝鮮などに賄賂と引き換えにすべて売り払ったのである。中国の空母第一号の遼寧はウクライナで建造されていたものである。

　この度のウクライナ戦争はソ連解体時のゴルバチョフの失策の後始末である。次のいずれかが実行されていたらこの戦争は起こらなかったであろう。それは、①WTOとNATOの同時解体、②NATO不拡大と中立国ウクライナの明文化、③ウクライナの核保有、④クリミアを含む東部ウクライナのロシアへの帰属である。

覇権を拡大させるNATO

　NATOは解体どころか当初の口約束を反故にして着実に覇権の牙を研いでいた。1999年の一次覇権拡大ではWTOの加盟国であったポーランド、チェコ、ハンガリーをNATOに加盟させ、次いで2004年の第二次拡大ではバルト三国（エストニア・ラトビア・リトアニア）、ブルガリア、スロベニア、ルーマニア、スロバキアの7か国を相次いで加盟させた。その結果、いよいよウクライナを挟んでNATOとロシアが対峙することになったこの年に、ウクライナで国の命運を左右する大統領選挙が行われた。

国を二分する選挙戦

　この選挙戦は親米派のユーシェンコと親ロ派のヤヌコビッチとのほぼ互角の国を二分する選挙戦になった。前妻と別れて二人の娘を連れ子にしていた

ユーシェンコは米国国務省勤務の経験のある若い美人のユカテリナと再婚することにより、米国から選挙参謀と資金、さらに情報を手に入れていたという。ユカテリナはウクライナから亡命した両親からシカゴで生まれた米国人であり、結婚後、米国中央情報局のエージェンシーという陰口を相手陣営からたたかれていた。一方、親ロ派のヤヌコビッチは当時の現政権の首相で隣国のロシアとは深い交流があったと思われるが、目立った支援を受けたという記録は見当たらない。それよりも、ロシア自体が第二次チェチェン紛争の最中でそれどころではなかったのである。

　大統領選挙は11月に実施され、開票の結果ヤヌコビッチが僅差で当選した。ところが、この選挙に不正があったとして、世に知られるオレンジ革命が首都のキエフ（現在はキーウに改名）を中心に勃発し、選挙管理委員会はそれを受けて間髪入れず12月末に再選挙を行うことを決めてしまった。そして、ダイオキシンによる大統領候補暗殺未遂事件はこのやり直し選挙戦の終盤になって起こった。

4　大統領選挙を決定づけたダイオキシン暗殺未遂事件

すべては婦人へのインタビューから始まった

　雌雄を決する選挙戦を左右するものは終盤に行われるテレビ討論会であったが、その直前になって突然大統領候補の一人が危うく敵側陣営からダイオキシンを盛られて殺されかけたというニュースが被害者の端正な顔と毒を盛られて黒ずんでニキビ面になった顔の写真をコントラストに並べて報じられた。ニュースの出典は米国ABC放送の独自取材によるもので[1]、ユカテリナが記者のインタビューに答えて夫が敵側陣営からダイオキシンを盛られて危うく殺されかけたと訴えた。さらに夫人は、毒をもったのは敵側の高官だと夫が告げた。また、もう少し入院が遅れていたら死ぬところであった、あるいは顔の皮膚炎はやがて元通りに戻るなど医師団から聞いたことを矢継ぎ早に答えている。また、夫が毒を盛られて会食会から帰宅した時にキスをすると毒の味がしたとも述べている。

医師団の会見内容

その翌日には、ユーシェンコの治療にあたったオーストリアのウィーンにある病院の医師団は緊急の記者会見を開いた。医師団はユーシェンコが盛られた毒物は間違いなくダイオキシンであり、人の通常濃度の千倍以上、他の動物であれば既に死んでいる濃度であり、さらにサンプルをアムステルダムの毒性学の専門家の元に届けているからまもなく毒物の詳細は分かるだろうと報告した。犯罪性についての質問に、それは司法当局の判断でありこちらが関与する問題ではない、ユーシェンコの皮膚炎はやがて回復し、がんや免疫性などの後遺症の心配はなく、すぐにも公務に戻れるとも答えている。

数日後にはアムステルダムから検体の分析結果が届き、ユーシェンコが盛られたとするダイオキシンは高度に精製された最強のタイプであり、その毒性量は通常の体内濃度の6千倍であることが分かり、ユーシェンコは史上二番目に多いダイオキシンを盛られて危うく殺されかけたとメディアは再び大きく報じた。これらのことが矢継ぎ早に報道されて大統領選挙当日を迎えた。敵側のヤヌコビッチ陣営からは「キスで毒の味が分かる女はいない」と反論しただけで、なすすべなく選挙当日を迎えた。

毒殺未遂犯にされたヤヌコビッチ

選挙の結果は言うまでもなく、ユーシェンコの逆転勝利、ヤヌコビッチの惨敗に終わった。これまでヤヌコビッチを支持していた国民の多くも、彼を毒殺未遂事件の首謀者と判断したのである。以上迄の報道は日本のメディアも大きく取り上げていたが、この先が欧米と日本の報道姿勢の違いである。海外のジャーナリストは、その後も地道に取材を重ねて真実を追跡しているのである。

5　暴かれた偽装暗殺未遂事件

恐るべき陰謀と大根役者

大統領選終了後もダイオキシン大統領候補毒殺未遂事件の検証はジャーナリストによって根気よく続けられた。その結果、この事件はウクライナ国内の問題ではなく、国外から仕掛けられた工作によってもたらされた国際的科

学スキャンダル事件であることが分かってきた。どれほど緻密に練り上げられた虚構も真実には勝てず、根拠のない虚言そのものがすべて虚構であることを自ら告白することになるのである。この事件もいつの間にか誰かに毒を盛られたことにして、後は口を閉じるだけでユーシェンコの勝利、ヤヌコビッチの悪人説で終わったはずである。ところが思わぬところから馬脚が現れてしまった。大根役者が口走った一言が、この事件の虚構を解き明かすことになったのである。その一言とは、ユーシェンコ夫人のユカテリナが発した「帰宅した夫とキスをしたら毒の味がした」というくだりである。ここで、敵側高官との会食会に俄然注目が集まることになった。その結果、会食会は大統領選の公募も行われていない3か月も前に遡らなければならなくなった。そうなると、緊急入院したのも9月にしなければならず、12月の選挙直前の入院は検査入院ということになってしまった。それでは毒を盛られてから3か月間も病院に行かなかった人物が、やり直し選挙の終盤の最も大切なテレビ討論会直前になぜ検査入院の必要があったのか。顔の皮膚炎は毒を盛られた直後が最も顕著なはずであるにも関わらず、なぜ一回目の選挙戦では話題にならなかったのか。など、不可解なことばかりである。

医師団の苦悩

　不可解と言えば、ウィーンの病院もユカテリナの一言で苦境に立たされることになってしまった。ユーシェンコの顔の異変は専門医が見れば有機塩素系の化合物によることが推測できるはずだが、なぜこの段階でダイオキシンということが分からなかったのか。医師団は当初ウイルス性の発疹と考えたと苦しい言い訳をしている。それでは、なぜもう少し入院が遅れていたら死ぬところであったと言ったのか。そもそもユーシェンコはなぜ毒を盛られた可能性を初診時に医師に告げなかったのか。当初はダイオキシンであることが分からなかった医師団が、検査入院では直ぐにダイオキシンを特定しそのおおよその濃度や予後までも詳細に診断し、しかもアムステルダムに検体を送って分析を依頼しているのも手回しがよすぎる。一つの虚言が、次々とむなしい虚言をつくり出さなければならなくなったのである。

ユーシェンコが摂った絶妙な毒量

　毒を盛られたユーシェンコの体内濃度はウクライナ人の平均の６千倍であるという報告から、彼が摂取したダイオキシン量を推算してみた。その結果、ダイオキシン量はおよそ1.8mgとなった[1]。この量は1968年に日本の北九州一帯で発生したカネミ油症事件の患者の中で最も大量にダイオキシンに暴露したＡ氏が初期症状を発した時の摂取量1.74mgに極めて近い量である。ちなみにカネミ油症事件は当初PCB食中毒事件とされていたが、後にダイオキシンが原因であることが分かり、この事件は世界最悪のダイオキシン禍事件であることが明らかにされた。当初は食用の米ぬか油にダイオキシンが入っていることが分からず、患者は一か月もの間それを使い続けて症状を悪化させたのであり、当時の保存血液から症状とダイオキシン暴露量が明らかにされた。問題のＡ氏もまたそうとは知らず、毒入り米ぬか油を大量に食べて巷で言われる致死量の50人分を摂って世界最大のダイオキシン暴露者になった。ちなみにカネミ油症患者1800人は平均10人分の致死量を摂ったにも関わらず、この食中毒事件でダイオキシンが原因で亡くなった患者は一人もいないのである[11]。

　WHOは、世界中で30万人ほどの人々が高濃度のダイオキシンに暴露したが、これが原因で亡くなった人は一人も確認されていないことを報告している[12]。いかに日本で国民を欺くダイオキシン恐怖情報が流布されていたかが分かるだろう。結局、ユーシェンコが盛られたとするダイオキシン量は命に別条がない、ただ顔に一過性の異様なあばたを確実に発症させる絶妙な量であったことが分かる。

6　毒殺未遂犯の真犯人

婦人のやらせインタビュー

　それではこの事件の謎解きを始めることにする。世界中を驚愕させたダイオキシンによる大統領候補暗殺未遂報道に使われた被害者のコントラストな写真は、彼の若い時代の端正な顔写真と後年になってからダイオキシンに暴露した顔を対比させた一種のペテンであり、ABC放送のユカテリナのインタビューだけでなく、つじつまの合わないウィーンの医師団の記者会見もや

らせの可能性が高い。

　次に、ユーシェンコが盛られたダイオキシンについて、暗殺が目的ならば、致死毒性も分からない毒物をプロの殺し屋が使うはずはなく、また、殺すことが目的でなかったとしても半減期が7年と長く体内に証拠物件が残留するような毒物が使われるはずはないのであり、この事件でダイオキシンを使った目的は人々の注目を集めることにあったことは歴然としている。

科学技術大国の高官が関与？

　ダイオキシンの入手先であるが、ユーシェンコが盛られたとするダイオキシンは数百種もある中でも最強の毒性を示すタイプであり、しかも高度に精製されたものであった。このような毒物はウクライナ国内では手に入れることができず、よほど科学技術が進んだ国の関与抜きには考えられない。そのような国はベトナム戦争の帰還兵からダイオキシン後遺症で告訴されていた米国ぐらいである。この国は裁判闘争を前にして1970年代にダイオキシンの毒性を徹底して研究し、事実上彼らの訴えを退けている[12]。しかも、ユーシェンコが盛られたとするダイオキシン量が初期症状を確実に発症する絶妙な量であることから、本人が症状を確認しながら少しずつ摂らない限り、よほどダイオキシンの毒性に精通した高官の関与抜きにはできないことである。少なくともこの毒殺未遂事件にヤヌコビッチ陣営が関与したことを示すものは何ひとつなく、この毒殺未遂事件で誰が得をしたかを考えれば、おのずと誰の眼にもユーシェンコ陣営の自作自演と映らざるを得なくなってきたのである。大統領在任中のユーシェンコは運命共同体であるはずのキモシェンコ首相（女性）と対立するなど政治手腕の稚拙さも加わっていよいよ国民の支持を失っていったのである。ダイオキシン毒殺未遂事件で政権の座を勝ち取ったユーシェンコが在任中に行ったことは国是の中立国を破ってNATO加盟を申請した上に、ウクライナ政治のタブーを破り、ロシア語の排除、宗教への干渉、第二次大戦中の対ナチ協力者の表彰など、民族主義を煽りその後の国内対立、ウクライナ戦争への地ならしをしたと評価されている[7]。

　ちなみに、日本のメディアがこの毒殺未遂事件の前段部分だけを派手に取り上げて後段を一切報じなかった理由については読者の方々の判断にお任せ

するが、これはメディアの本質をよく表しており巧妙なプロパガンダである。

ユーシェンコの惨敗

　ユーシェンコ政権が発足してから５年後の2010年に大統領選が行われた。前回の革命騒ぎの再来を警戒して今回は国際的な選挙監視団が派遣された中での選挙戦であった。選挙戦は現職のユーシェンコを含め計18名の候補者で争われた。やがて、投票日となり、開票の結果が発表された。実に獲得投票数の一位は前回ダイオキシンを盛った極悪人として国民の信頼を失ったはずのヤヌコビッチであった。現職大統領のユーシェンコの獲得投票数は全投票数の６％にも満たない惨敗であった。この５年間で国民の意識が大きく変わったのだ。前回は暗殺未遂事件で見事に騙されたことに国民は気づいたのである。しかし、候補者が乱立してヤヌコビッチは過半数を獲得できず、現首相のキモシェンコとの上位一位二位による決選投票となった。しかしこの決選投票もまたヤヌコビッチの勝利に終わったが、キモシェンコは選挙に不正があったと訴え、５年前にユーシェンコとともに闘ったオレンジ革命の経験を生かして裁判も辞さない覚悟で不正を訴えた。しかし、一部始終を監視していた国際監視団の鶴の一声「一点の不正もない厳正中立な選挙戦であった」とすべては決着した。大統領の就任が決まったヤヌコビッチはインタビューに答えて「長く待った」とだけ答えている。実は、美談として語られるオレンジ革命も西側の工作が働いていたのである[13]。なお、キモシェンコは日本からの炭酸ガス排出権の購入費用などの着服容疑でこの後すぐに収監された。

7　NATO の工作に翻弄されるウクライナ国民の悲劇

再び嵌められたヤヌコビッチ

　第４代ウクライナ大統領に就任したヤヌコビッチは長くその座に安住することはできず、またしても反ロシア派の抗議活動が勢いを増し、ついにマイダン（広場）革命と呼ばれるクーデターに発展した。広場に座り込む民衆に向かって屋上から発砲し、警察官３人を含む84人ともいう犠牲者を出した。

西側メディアはこれを政府の治安部隊が発砲したと報じたためにヤヌコビッチはまたしても国民の信頼を失った。実際は西側のゼネコンが仕掛けた革命派が送り込んだスナイパーによるものという。東部クリミアからヤヌコビッチ政権を支援する運動家が座り込んでいたところを発砲したもので、犠牲者の中にはクリミアの警察官も含まれていた。バス8台で避難したクリミアの運動員は途中で革命派に待ち伏せされて数時間に及んで酷い暴行を受け、一部のバスは焼かれた。身の危険を察知したヤヌコビッチは家族とともにロシアに亡命した。その結果、革命派による暫定政権が2013年2月につくられた。この政権は、ロシア語を公用語から外し、ロシア系住民が多い東部ウクライナへの迫害を強硬に勧めた。ロシア系住民が住むクリミアでは住民投票を行ってロシアへの併合を求め、プーチンもこれに答える形でクリミア併合を決行した。ロシアにとってもクリミアは黒海艦隊の基地がある生命線であり、どうしても手放すわけにはいかなかったのである。

迫害される東部ウクライナ

　その後も東部ロシア系住民に対するウクライナ暫定政権による迫害は続き、港湾都市オデッサで建物に追い込まれたロシア系住民46人が焼き殺されるオデッサ虐殺事件も発生した。

　2015年にウクライナ大統領選挙が行われ、ポロシェンコ政権が発足した。この政権は後にオバマ米国大統領も認めたように事実上米国の傀儡政権であったが、この新大統領は国内外の強い圧力に抗して、就任の翌年にはドイツのメルケル首相とフランスのオランド大統領の立ち合いの下、東部ウクライナを迫害しないことと、東部二州の自治権を認めるミンスク合意をプーチンと取り交わした。

最悪のコンビの出現

　2019年にはユダヤ系のゼレンスキーがウクライナ大統領に就任し、2021年には米国大統領にバイデンが就任した。このNATO拡大のタカ派の二人の登場により、ミンスク合意は完全に破棄され、東部ロシア系住民に対する迫害は激しさを増し、ウクライナ戦争勃発前までに犠牲者は累計で1万3千人

を超えたともいう。侵攻直前のこの二人の猿芝居は見事に的中したのである。

戦争のゆくえ

　この戦争の終着点は誰にも分からない。しかし、ウクライナにとってロシア系住民が多いクリミアやドネスクの2州はたとえ奪還したとしても爆弾を抱えるようなものでメリットはないが、ロシアにとってここは最後の生命線となることから一歩も引きさがることはできないだろう。ここがこれ以上の犠牲者を出さないぎりぎりの妥協点になると考えられる。しかし、この和平案にゼレンスキーとバイデンの二人がどのように反応するかである。この時にこそ、この二人の真の姿がはっきり分かるだろう。すなわち、彼らがウクライナ国民の生命を守ることを考えてきたか、あるいは国民の命などつゆほども考えずただプーチンを失脚させることだけが目的であったかが[14]。

おわりに

人類の行く末

　何にでも関心を示す私は、近年、人類進化の問題に取り組むようになった。そのためか、人類の行く末について思うことが多くなってきた。喰うか喰われるかの動物界は、生存に直結する脳の発達とともに進化してきた。そして今、精神因子（相対的脳容量）の頂点に君臨しているのが私たち現代人である。立ち上がっただけのサルにすぎなかった人類がある時を境に脳を3倍にも拡大させていきなり人間になってしまったのだ。これが如何に超自然的な現象であるかは、人間が地球やあらゆる生物にとって大迷惑な存在になってきたことでも分かるだろう。この超自然的な進化をもたらした要因について世界中の研究者が取り組んできたが、未だ定説はない。ちなみに、つい最近、私が提案してきた「火の人類進化説」がNHKのBSプレミアムの「ヒューマニエンス」で取り上げられた（2022.10.11放送）。それはさておき、この異様に大きな脳をもった人類はこれからどこに向かおうとしているのか、『ソシオ情報シリーズ18　エシカル消費と社会デザイン』の第8章「世界政府幻想」（三弥井書店2019）で解説している。人類を征服してきたものは

唯一「お金」であるが、それを支配しているのが突出して高いIQをもった
ある一族が考案した世界金融である。一握りのこのグループが目指すものは
国際主義（グローバリズム）イデオロギーに基づく統一世界である。ほんの一
握りの金融一族により半永久的に支配されるこの世界は、人間としてのあら
ゆる尊厳が剥奪されてAIロボットに監視される人間牧場にたとえられてい
る。歴史上の大戦争や革命、米国ケネディー大統領の暗殺、イラクフセイン
にリビアのカダフィーの惨殺などは世界金融が絡んでいるとされ、人類は世
界統一に向かって猛烈な速さで驀進している。西側の印象操作で悪玉にされ
たフセインとカダフィーを失った両国の国民がその後どれほど悲惨な目に
遭っているかを見れば、何の目的で米国とNATOが彼らを殺害したかが分
かるだろう。

　ユーシェンコ政権時代に駐ウクライナ日本大使であった馬渕睦夫はウクラ
イナ戦争の実相に誰よりも精通した人物と思うが、彼は「世界は国際主義対
民族主義の対決の最中にある」と指摘している。そして国際主義には共産主
義・社会主義・リベラル思想・ネオコン・新自由主義・リバタリアニズムが
あり、これらの終局の目標が統一世界の世界政府の樹立にあり、それに邪魔
な民族主義のフセインとカダフィーを消し、次なるターゲットがプーチンで
あるという[13]。実は大多数の国が食糧自給力を奪われて奴隷化の道を辿って
いるのも、経済的に疲弊している中南米諸国が総じて反米なのも、また一億
日本国民が貧困化の道をまっしぐらに突き進んでいるのも米国主導のグロー
バリズムに支配されてきたからである。

国の自立

　地政学的問題に加えてこの国を危うくさせているものは、国そのものが自
立できていないことにある。これを克服するためには、言うべきところは毅
然と主張し、武力侵攻させないだけの国防力をもち対等な関係になることで
ある。それが相手国への敬意にもつながる。世界に多様な国があるように、
人間社会にはさまざまな職種や考え方があるが、どれ一つとっても無駄なも
のはなく、これによって社会は円滑に機能している。いかなる思想もほどほ
どであり、たった一つのイデオロギーで統一された奴隷的階級社会で暮らす

ことだけは御免だ。

参考文献

1 ）林俊郎、目白大学総合科学研究、№ 2 、「ウクライナ大統領選候補ビクトール・ユーシェンコダイオキシン中毒事件」(2006)

2 ）ロバート・ケネディー、13日間キューバ危機の回顧録（改版）、毎日新聞社外信部訳、中央公論新社 (2014)

3 ）黒川祐次、物語 ウクライナの歴史、中公新書 (2002)

4 ）エマニエル・トッド、第三次世界大戦はもう始まっている、大野舞訳、文藝春秋 (2022)

5 ）島田正彦、世界№957、臨時増刊ウクライナ侵略戦争 − 世界秩序の危機、「小柄なサイコパス男の大きな影」岩波書店 (2022)

6 ）ミヤシャンマー他、文藝春秋100周年 6 月特別号「総力特集　誰のための戦争か − 日米同盟 VS ロシア・中国・北朝鮮、その時日本は？」(2022.6)

7 ）松里公孝、世界№957、「その 3 　事態の全貌―未完の国民・コンティスタブルな国家―ロシアウクライナ戦争の背景」

8 ）文藝春秋100周年「総力特集　誰のための戦争か―日米同盟 VS 中ロ北朝鮮」(2022年 6 月号)

9 ）林俊郎、ダイオキシン物語、日本評論社 (2017)

10）グレンコ・アンドリィ、ウクライナ人だから気づいた日本の危機―ロシアと共産主義者が企む侵略のシナリオ (2019)

11）小栗一太・赤峰昭文・古江増隆、油症研究、九州大学出版会 (2000)

12）米国環境保護局、ダイオキシンレポート1980、森田昌敏訳、ダイオキシン入門、日本環境衛生センター (1991)

13）馬渕睦夫、ウクライナ紛争　歴史は繰り返す―戦争と革命を仕組んだのは誰だ、ワック (2022)

14）渡部宗次・福井義孝、スペイン内戦からウクライナ戦争まで―正義の戦争はウソだらけ・ネオコン対プーチン、ワック (2022)

【ソシオ情報シリーズ 22】
　「AI・データサイエンス・DX と社会情報学」

執筆者一覧

大枝　近子	目白大学 教授	服飾文化・被服心理	はじめに
新井　正一	目白大学 名誉教授	応用情報学・フィールド情報学	第1章
藤巻　貴之	目白大学 専任講師	社会心理学	第2章(1)
柳田　志学	目白大学 専任講師	国際ビジネス・サービスビジネス	第2章(3), 第4章
竹山　賢	目白大学 専任講師	建築学・デザインプロデュース	第2章(2)
土屋　依子	目白大学 専任講師	環境政策・都市計画	第2章(4)
田中　泰恵	目白大学 教授	社会デザイン	第3章
内田　康人	目白大学 准教授	社会情報学・メディア研究	第5章
井口　尚樹	目白大学 専任講師	社会学	第6章
廣重　剛史	目白大学 准教授	公共哲学・社会デザイン	第7章
宮田　学	目白大学 教授	絵本の構成・デザイン	第8章
松岡　陽	目白大学 助手	介護福祉	第8章
高橋　伴奈	目白大学大学院 修士課程	教育学	第8章
朱　舒曼	日本マイクロソフト 株式会社	経済学	第8章
長崎　秀俊	目白大学 教授	マーケティング・ブランド戦略	第9章
林　俊郎	目白大学 名誉教授	社会情報学	第10章

ソシオ情報シリーズ　バックナンバー

AI・データサイエンス・DX と社会情報学

ソシオ情報シリーズ 22

令和5年3月24日　初版発行

定価はカバーに表示してあります。

Ⓒ編 著 者　　目白大学社会学部社会情報学科

発 行 者　　吉 田 敬 弥

発 行 所　　株式会社 三 弥 井 書 店

〒108－0073東京都港区三田3－2－39
電話03－3452－8069
振替00190－8－21125

ISBN978-4-8382-3402-8 C0036　整版・印刷　エーヴィスシステムズ